SPEED-UP CHINESE

速成汉语

（3）

何　慕　编著

北京大学出版社

北　京

图书在版编目(CIP)数据

速成汉语. 3/何慕编著. —2 版(修订本). —北京:北京大学出版社,2004. 4

ISBN 7-301-06892-1

Ⅰ. 速… Ⅱ. 何… Ⅲ. 汉语-对外汉语教学-教材 Ⅳ. H195.4

中国版本图书馆 CIP 数据核字(2004)第 000285 号

书　　　名:**速成汉语(3)**
著作责任者:何　慕　编著
责 任 编 辑:胡小园
标 准 书 号:ISBN 7-301-06892-1/H·0969
出 版 发 行:北京大学出版社
地　　　址:北京市海淀区中关村北京大学校内　　100871
网　　　址:http://cbs.pku.edu.cn
电 子 信 箱:zpup@pup.pku.deu.cn
电　　　话:邮购部 62752015　发行部 62750672　编辑部 62752028
排 版 者:北京华伦图文制作中心　82866441
印 刷 者:北京大学印刷厂
经 销 者:新华书店
　　　　　　850 毫米×1168 毫米　32 开本　6.5 张　166 千字
　　　　　　2004 年 4 月第 1 版　2004 年 4 月第 1 次印刷
定　　　价:17.00 元

编　写　说　明

　　本套教材是《速成汉语》(何慕编著,1997 年北大出版社出版)的修订本。除教材内容有变动和增加了必要的辅助资料外,本次修订还把原来的一册按照循环分为三册,目的是更便于学习者根据不同需求进行选择。

　　编写第二语言学习教材,通常的做法是,口语教材多以话题情景为纲,精读课本多以语言知识为纲。前者容易忽略语言知识的系统性,后者容易忽略语言材料的实用性。《速成汉语》力图克服上述不足,把二者有机地结合起来,在以话题情景为纲组织教材内容的同时, 以《汉语水平考试大纲》(HSK)的甲级语法点为安排语言知识的依据,并注意到同乙级语言点的衔接和过渡。本套教材侧重于培养学习者听和说的能力。

　　《速成汉语》把日常生活用语分成 15 个话题(问候与介绍、学校生活、问路和旅游、时间和日期、交通、在旅馆、访问和做客、购物、季节和天气、健康和医疗、饮食、讨论问题、兴趣爱好、贸易、学习汉语),每课学习一个话题的部分用语。全套书共三册,每册 15 课,全书共计 45 课。每册为一个循环。第一册的 15 课是 15 个话题中最基本的内容,掌握了它,就可以完成简单的汉语交际。后两册在此基础上逐渐加以扩展,使每个话题得以丰富和深化。其中第三册还有意识地加入了一些商业贸易用语,以增加本书的实用性。每课设有基本句型、课文、注释、练习、生词五个项目。课文以对话体为主，以训练听说能力；多数课文还设有叙述体短文，以训练阅读和理解能力。全部课文配有英文翻译。三册课文中的全部对话语体和第一册的叙述体短文标注了汉语拼音。课文和句型配有简明实用的注释，用以讲解语法知识。每课安排 10 个句型，20 个左右生词，三册共 450 个句型，约 900 个汉语词(包括词组)。本套教材在词语和语法点的安排上注意体现重现和渐进的原则，以便于学习。此外，本套教材还分别在每一册安排了学习辅助资料：

第一册：语音基本知识、常用反义单音节形容词、部分俗语

第二册：常用量词

第三册：常用多音字

为引起学习者的兴趣，每册书后都配有三至四首古诗。

《速成汉语》适用于在校学生的课堂教学，按照每周两课的进度，八周学完一册书。教师可以根据学习的期限和学习者的水平任意选择其中的一册(一个循环)进行教学。本套书也可以用作会话手册，供愿意学习汉语的各界人士自学之用。

本教材课文部分由曹莉、王舒翼女士翻译，特此致谢！

作　者

2003 年于北大燕园

Foreword

The language materials selected for this book are all standard Chinese Putonghua oral materials. Most of the ordinary oral teaching materials are based on the situation of a conversational topic while language teaching materials mostly use language knowledge as the guiding principle. The latter overlooks the practicality of language materials.

Speed-up Chinese strives to overcome the above mentioned deficiency and to integrate the two as an organic whole. When situation of a conversational topic is used as the guiding principle to constitute the content of the teaching material, the first-rate grammar point (133 points) of the Chinese Level Examination (HSK) is added as the basis of arranging language knowledge. The book also tries to achieve the linkup and transition with second-rate grammar point. This book lays particular emphasis on fostering the listening and speaking ability of the learner.

Speed-up Chinese divides everyday phraseology into 15 situations of conversational topics (greetings and introduction, school life, travelling, time and date, traffic, at the hotel, visiting and sojourn, shopping, seasons and weather, health and medical services, food and drink, discussion of questions, interest and hobby, trade, learning Chinese). Every lesson teaches part of the phraseology of each conversational topic.

There are altogether 45 lessons. Every 15 lessons are a cycle. The first 15 lessons have got the most basic contents among the 15 conversational topics. Mastering it will enable the learner to make some simple Chinese communications. The latter two 15 lessons develop gradually on this foundation, allowing the 15 conversational topics to be enriched and intensified. The third cycle prepares particularly for learners some commercial trade phraseology. Every lesson consists of five parts: sentence patterns, text, annotation, exercises and new words. The text is mainly in the conversational mode. It is designed to train the listening and speaking ability. All texts come along with English translations. Hanyu Pinyin has been filled in for all the conversations in the texts, as well as for the short, narrative essays in the first book. The texts and sentence patterns are accompanied with concise and practical annotations, explaining grammatical phenomena. Each lesson has got 10 sentence patterns, approximately 20 new words, so there are 450 sentence patterns altogether, approximately 900 Chinese phrases. The arrangement of vocabulary and grammar points in this book follows the principle of progress step by step.

Speed-up Chinese is applicable for classroom-teaching. If the planned schedule of two lessons per week is followed, this book can be completed in eight weeks. The teacher can arbitrarily select any cycle (15 lessons) to teach on the basis of the different conditions of the students. This book can be a conversational handbook too, capable of meeting the different needs of individuals who are willing to study Chinese on their own.

话 题 目 录
Topics Catalogue

《速成汉语》(全三册)话题重现索引表

话 题		话题内容（课文题目）	索 引	
			册	课
1	问候与介绍	你好	1	1
		他是哪国人	2	1
		我来中国学习汉语	3	1
2	学校生活	上课	1	2
		开学了	2	2
		我的专业	3	2
3	问路和旅游	银行在哪儿	1	3
		去动物园	2	3
		旅游	3	3
4	时间和日期	几点了	1	4
		生日	2	4
		等了一个小时	3	4

速成汉语

话　　题		话题内容（课文题目）	索　引	
			册	课
5	交通	坐出租汽车	1	5
		坐火车	2	5
		坐飞机	3	5
6	在旅馆	你住 507 号	1	6
		饭店里住着各国客人	2	6
		饭店的服务	3	6
7	访问和做客	拜访老师	1	7
		你的家真漂亮	2	7
		参加晚会	3	7
8	购物	买橘子	1	8
		买衣服	2	8
		买手机	3	8
9	季节和天气	下雨了	1	9
		春天到了	2	9
		南北气候差异	3	9
10	健康和医疗	我头疼	1	10
		吃药和锻炼	2	10
		看病	3	10

话 题		话题内容（课文题目）	索 引	
			册	课
11	饮食	喝茶	1	11
		点菜	2	11
		宴会	3	11
12	讨论问题	星期天干什么	1	12
		减肥	2	12
		再便宜一点儿	3	12
13	兴趣爱好	我喜欢古典音乐	1	13
		爱好体育	2	13
		看广告	3	13
14	贸易	欢迎您	1	14
		合作	2	14
		参观博览会	3	14
15	学习汉语	我喜欢学习中文	1	15
		读中文报纸	2	15
		请帮我看中文合同	3	15

语法术语简称表

The Abbreviations of Chinese Grammatical Terms

（名）	名词	míngcí	noun
（代）	代词	dàicí	pronoun
（动）	动词	dòngcí	verb
（助动）	助动词	zhùdòngcí	auxiliary verb
（形）	形容词	xíngróngcí	adjective
（数）	数词	shùcí	numeral
（量）	量词	liàngcí	measure word
（副）	副词	fùcí	adverb
（介）	介词	jiècí	preposition
（连）	连词	liáncí	conjunction
（助）	助词	zhùcí	auxiliary word
（叹）	叹词	tàncí	interjection
（拟声）	拟声词	nǐshēngcí	onomatopoeia
（头）	词头	cítóu	prefix
（尾）	词尾	cíwěi	suffix
（主）	主语	zhǔyǔ	subject
（谓）	谓语	wèiyǔ	predicate
（宾）	宾语	bīnyǔ	object
（定）	定语	dìngyǔ	attribute
（状）	状语	zhuàngyǔ	adverbial
（补）	补语	bǔyǔ	complement

目 录
Contents

1 我来中国学习汉语

I come to China to study Chinese

Sentence Patterns

1. 我是来中国学习汉语的。
   Wǒ shì lái Zhōngguó xuéxí Hànyǔ de.
   I am here in China to study Chinese.

2. 我在一家贸易公司工作。
   Wǒ zài yìjiā màoyì gōngsī gōngzuò.
   I work for a trading company.

3. 我们要向中国出口电脑。
   Wǒmen yào xiàng Zhōngguó chūkǒu diànnǎo.
   We want to export computers to China.

4. 我们和中国长城工业公司合作。
   Wǒmen hé Zhōngguó Chángchéng Gōngyè Gōngsī hézuò.
   We are cooperating with China Great Wall Industrial Company.

5. 他要参加服装交易会。
   Tā yào cānjiā fúzhuāng jiāoyìhuì.
   He is going to participate in a Trade Fair of Garments.

6. 他是一家日本公司的经理。

   Tā shì yì jiā Rìběn gōngsī de jīnglǐ.

   He is the manager of a Japanese company.

7. 祝您一切顺利！

   Zhù nín yíqiè shùnlì!

   Wish you all the best!

8. 这家公司和中国有贸易关系。

   Zhè jiā gōngsī hé Zhōngguó yǒu màoyì guānxi.

   This company is on trade with China.

9. 他每年要来中国两次。

   Tā měi nián yào lái Zhōngguó liǎng cì.

   He comes to China twice a year.

10. 讨论以后的合作问题。

    Tǎolùn yǐhòu de hézuò wèntí.

    Discuss the issue of future cooperation.

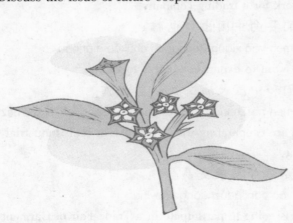

课文
Text

(一)

(在饭店的咖啡厅,两位客人一边聊天,一边喝咖啡
At the hotel's café, two guests are chatting while drinking coffee.)

A:您好!

Nín hǎo!

Hello!

B:您好!

Nín hǎo!

Hello!

A:请问您是哪国人?

Qǐng wèn nín shì nǎ guó rén?

May I ask where you are from?

B:我是美国人。

Wǒ shì Měiguórén?

I am an American.

A:您是来中国旅游的吗?

Nín shì lái Zhōngguó lǚyóu de ma?

Are you in China for travelling?

B:不,我是来中国学习汉语的。

Bù, wǒ shì lái Zhōngguó xuéxí Hànyǔ de.

No, I am in China to learn Chinese.

A：为什么要学习汉语？

Wèi shénme yào xuéxí Hànyǔ?

Why do you want to learn Chinese?

B：我在美国一家贸易公司工作，经常和中国打交道。

Wǒ zài Měiguó yìjiā màoyì gōngsī gōngzuò, jīngcháng hé Zhōngguó dǎ jiāodào.

I work for an American trading company and often do business with China.

A：你们和中国有什么贸易关系？

Nǐmen hé Zhōngguó yǒu shénme màoyì guānxi?

What kind of trading business do you have with China?

B：我们经常要向中国出口电脑。

Wǒmen jīngcháng yào xiàng Zhōngguó chūkǒu diànnǎo.

We often export computers to China.

A：你们也要进口一些商品吧？

Nǐmen yě yào jìnkǒu yìxiē shāngpǐn ba?

Do you also import some commodities?

B：是，我们进口服装、玩具。

Shì, wǒmen jìnkǒu fúzhuāng, wánjù.

Yes, we import garments and toys.

A：您和中国的哪个公司合作？

Nín hé Zhōngguó de nǎ gè gōngsī hézuò?

Which Chinese company are you cooperating with?

B：我们和中国长城工业公司合作。

Wǒmen hé Zhōngguó Chángchéng Gōngyè Gōngsī hézuò.

We are in cooperation with China Great Wall Industrial

Company.

A：祝您一切顺利，合作愉快！

Zhù nín yíqiè shùnlì, hézuò yúkuài!

Wish you all the best and success in your cooperation!

B：谢谢！

Xièxie!

Thank you!

（二）

A：那个人是谁？

Nà ge rén shì shéi?

Who is that person?

B：他是一家日本公司的经理。

Tā shì yì jiā Rìběn gōngsī de jīnglǐ.

He is the manager of a Japanese company.

A：他是来中国做买卖的吧？

Tā shì lái Zhōngguó zuò mǎimai de ba?

Is he in China for business?

B：他是来参加商品交易会的。

Tā shì lái cānjiā shāngpǐn jiāoyìhuì de.

He comes to participate in the Commodities Trade Fair.

A：什么商品交易会？

Shénme shāngpǐn jiāoyìhuì?

What kind of Commodities Trade Fair?

B：服装商品交易会。

Fúzhuāng shāngpǐn jiāoyìhuì.

Trade Fair of Garments.

A：那个交易会的商品都不错，商品质量很好。

Nà gè jiāoyìhuì de shāngpǐn dōu búcuò, shāngpǐn zhìliàng hěn hǎo.

The commodities at that trade fair are good enough and of high quality.

B：希望他能满意。

Xīwàng tā néng mǎnyì.

I hope he would be satisfied.

（三）平田先生很忙

　　平田先生是日本人，在日本的一家电器公司工作。因为这家日本的电器公司和中国有贸易关系，所以平田先生经常要到中国来，大约每年要来两次。春天的时候，他来中国参加商品交易会，送来说明书和样品——电视、冰箱，和中国讨论价格……决定出口问题。秋天的时候，他又要来中国，他要和中国论商品质量问题，讨论以后的合作问题。平田先生一年四季都很忙。

Mr. Hirata is a Japanese. He works at an electronics company. Mr. Hirata visits China about twice a year because his company has trade relationship with China. He comes to visit the trade fair in spring, bringing product descriptions and samples of television and refrigerator, making business negotiations, and deciding on exports. He comes again in autumn to discuss product quality and future cooperations. Mr. Hirata is busy all the year around.

注 释
Annotation

1. 是……的 *Shi…de*

这个格式常用来强调目的，"是……的" 中间至少有两个动词词组，第一个动词词组往往是由动词"来、去"或由"来、去"组成的词组。

The structure can be used to emphasize purpose. It consists of at least two verbal phrases. The first one is usually made up of "to come, to go" or phrases including "come and/or go".

Examples:

是来中国参加交易会的

to come to China for the trade fair

是去日本买家用电器的

to go to Japan to purchase electronic home appliances

2. 祝您一切顺利　　*Zhù nín yíqiè shùnlì*

"祝 + 代词 + 形容词"是常用的礼貌语言。

"*Zhù* + pronoun + adjective" is often used as courteous greetings.

Examples:

祝你身体健康!　　Wish you good health!

祝你旅行愉快!　　Wish you a pleasant journey!

祝你学习进步!　　Wish you progress in your study!

3. 向　　*Xiàng*

是一个介词,引出动作的方向、对象。

It is a preposition, used to introduce the direction andobject of an action.

练习

Exercises

1. 完成对话:

Complete the following dialogue:

(1) A:你为什么要来中国?

B：＿＿＿＿＿＿＿＿＿＿＿

A：参加什么商品交易会？

B：＿＿＿＿＿＿＿＿＿＿＿

A：那儿的商品怎么样？

B：＿＿＿＿＿＿＿＿＿＿＿

A：价格怎么样？

B：＿＿＿＿＿＿＿＿＿＿＿

（2）A：你认识那位先生吗？

B：＿＿＿＿＿＿＿＿＿＿＿

A：他是哪国人？

B：＿＿＿＿＿＿＿＿＿＿＿

A：他是来中国旅行的吗？

B：不，＿＿＿＿＿＿＿＿＿＿

A：他经常来中国吗？

B：＿＿＿＿＿＿＿＿＿＿＿

2. 选择正确的句子：

Choose the correct sentence:

（1）a. 我一家公司工作。　　b. 我在一家公司工作。

　　 c. 我工作在一家公司。

（2）a. 向中国出口冰箱。　　b. 出口冰箱向中国。

　　 c. 出口向中国箱。

（3）a. 他两次每年来中国。　　b. 他每年两次来中国。

　　 c. 他每年来中国两次。

3. 翻译:

Translation:

(1) 我打算以后学习贸易。

(2) 现在我住在北京,以后要住在上海。

(3) 应该讨论以后的合作问题。

(4) 我希望你以后经常来我家玩。

生 词

New Words

1. 贸易	màoyì	(名)	trade
2. 公司	gōngsī	(名)	company
3. 向	xiàng	(介)	to
4. 出口	chūkǒu	(动)	export
5. 工业	gōngyè	(名)	industry
6. 合作	hézuò	(动)	cooperation
7. 服装	fúzhuāng	(名)	garment
8. 交易会	jiāoyìhuì	(名)	trade fair
9. 经理	jīnglǐ	(名)	manager
10. 祝	zhù	(动)	wish
11. 一切	yíqiè	(代)	all
12. 顺利	shùnlì	(形)	successful
13. 关系	guānxi	(名)	relation
14. 以后	yǐhòu	(名)	later, then
15. 打交道	dǎ jiāodào		to deal with

16. 进口	jìnkǒu	(动)	import
17. 商品	shāngpǐn	(名)	commodity, goods
18. 玩具	wánjù	(名)	toy
19. 买卖	mǎimai	(名)	(*colloquial*) business
20. 质量	zhìliàng	(名)	quality
21. 电器	diànqì	(名)	electronics
22. 大约	dàyuē	(副)	about

2 我的专业
My major

Sentence Patterns

11. 我打算毕业以后到贸易公司工作。

    Wǒ dǎsuàn bìyè yǐhòu dào màoyì gōngsī gōngzuò.

    I plan to work in a trading company after graduation.

12. 我要学习商业汉语和国际贸易两门课。

    Wǒ yào xuéxí shāngyè Hànyǔ hé guójì màoyì liǎng mén kè.

    I want to study Business Chinese and International Trade.

13. 最近，中国的经济发展很快。

    Zuìjìn, Zhōngguó de jīngjì fāzhǎn hěn kuài.

    Chinese economy is developing very fast recently.

14. 你是从哪个学校毕业的？

    Nǐ shì cóng nǎ gè xuéxiào bìyè de?

    Which school did you graduate from?

15. 我的专业是国际贸易。

    Wǒ de zhuānyè shì guójì màoyì.

    My major is International Trade.

16. 我学习了不少国际贸易方面的知识。

    Wǒ xuéxí le bùshǎo guójì màoyì fāngmiàn de zhīshi.

I have learnt much knowledge of international trade.

17. 我学习了两门外语。

Wǒ xuéxí le liǎng mén wàiyǔ.

I have learnt two foreign languages.

18. 在合资企业工作比较辛苦。

Zài hézī qǐyè gōngzuò bǐjiǎo xīnkǔ.

It is comparatively tougher to work in an international company.

19. 他正在努力学习，准备考试。

Tā zhèngzài nǔlì xuéxí, zhǔnbèi kǎoshì.

He is working hard in preparation for the examinations.

20. 这对他找工作很重要！

Zhè duì tā zhǎo gōngzuò hěn zhòngyào!

This is important for him to look for a job.

课　文
Text

（一）

A：学校快放假了吧？

Xuéxiào kuài fàng jià le ba?

Is the school on vacation soon?

B：快了，还有一个月。

Kuài le, hái yǒu yí gè yuè.

Yes, it will be in one month's time.

A：这学期你有几门课？

Zhè xuéqī nǐ yǒu jǐ mén kè?

How many courses do you have this semester?

B：只有两门课。

Zhǐ yǒu liǎng mén kè.

Only two courses.

A：是什么课？

Shì shénme kè?

What are they?

B：商业汉语和国际贸易。

Shāngyè Hànyǔ hé guójì màoyì.

Business Chinese and International Trade.

A：这两门课都跟经济有关系。

Zhè liǎng mén kè dōu gēn jīngjì yǒu guānxì.

Both courses are related to economy.

B：对，我打算毕业以后到贸易公司工作。

Duì, wǒ dǎsuàn bìyè yǐhòu dào màoyì gōngsī gōngzuò.

Yes, I plan to work in a trading company after graduation.

A：你为什么学习商业汉语？想去中国做买卖吗？

Nǐ wèi shénme xuéxí shāngyè Hànyǔ? Xiǎng qù Zhōngguó zuò mǎimai ma?

Why do you study Business Chinese? Do you intend to do business in China?

B：是，最近几年，中国进步很大，经济发展很快。我要去中国做买卖。

Shì, zuìjìn jǐnián, Zhōngguó jìnbù hěn dà, jīngjì fāzhǎn hěn kuài. Wǒ yào qù Zhōngguó zuò mǎimai.

Yes, China has made great progress in recent years and the economy is developing very fast. I want to go to China to do business.

A：那你应该努力学习汉语。

Nà nǐ yīnggāi nǔlì xuéxí Hànyǔ.

So you should work hard at Chinese.

B：我很努力，天天上汉语课，天天看中文报纸。

Wǒ hěn nǔlì, tiāntiān shàng Hànyǔ kè, tiāntiān kàn Zhōngwén bàozhǐ.

I am working hard, taking Chinese lesson everyday and reading Chinese newspaper everyday.

A：祝你学习进步。

Zhù nǐ xuéxí jìnbù.

Wish you progress in your study.

B：谢谢!

Xièxie!

Thanks.

(二)

A：你是哪个学校毕业的?

Nǐ shì nǎ gè xuéxiào bìyè de?

Which school did you graduate from?

B：我是北京对外经济贸易大学毕业的。

Wǒ shì Běijīng Duìwài Jīngjì Màoyì Dàxué bìyè de.

I graduated from University of International Business and Economics at Beijing.

A：你的专业是什么?

Nǐ de zhuānyè shì shénme?

What is your major?

B：国际贸易。

Guójì màoyì.

International trade.

A：这个专业有意思吗?

Zhè gè zhuānyè yǒu yìsi ma?

Is it interesting?

B：非常有意思。

Féicháng yǒu yìsi.

Very interesting.

A：你们学习的课都和国际贸易有关系吧？

Nǐmen xuéxí de kè dōu hé guójì màoyì yǒu guānxì ba?

All your courses are related to international trade, aren't they?

B：是，我们学习了不少国际贸易方面的知识。

Shì, wǒmen xuéxí le bùshǎo guójì màoyì fāngmiàn de zhīshi.

Yes, we have learnt much knowledge about international trade.

A：学习外语了吗？

Xuéxí wàiyǔ le ma?

Have you learnt any foreign languages?

B：学习了两种外语，英语和德语。

Xuéxí le liǎng zhǒng wàiyǔ, Yīngyǔ hé Déyǔ.

Yes, I have learnt two, English and German.

（三）张新快毕业了

张新是北京对外经济贸易大学的学生，专业是国际贸易。今年七月他就要毕业了。他打算毕业以后到一家合资企业去工作。在那样的企业工作比较辛苦，可是很有意思。现在，张新正在努力学习，准备考试。除了准备专业课外，他还要准备外语考试。他希望每门课都考得好。这对他找工作很重要。

Zhang Xin is a student at Beijing University of International

Business and Economics, majored in international trade. He is going to graduate this July.　He plans to work for an international company after graduation.　Working for an international company is comparatively tougher,　but more interesting as well.　Zhangxin is now working hard preparing for tests.　Besides his major courses,　he is also preparing for the foreign language test.　He expects good results of all courses, for it will be very important for his job-seeking.

注 释
Annotation

**1. 从　　*Cóng*

是一个介词,引出动作的起点。

It is a preposition to introduce the starting point of anaction.

Examples:

他从家里来。　　　　　He comes from his home.

我从图书馆去你家 。　　I go to your home from the library.

**2. 是……的　　*Shi…de*

它除了强调时间、强调目的以外,还可以强调处所,被强调的处所放在"是……的"中间,常常要用介词"从"和"在"。

It is used to emphasize on time, purpose, etc. If the emphasis is on places, the place should be inserted between *"shi"* and " *de*". Prepositions like " *cóng*" and " *zài*" are often used.

Examples:

他是从日本来的。

He is from Japan.

这本书是在商店买的。

This book was bought from the store.

练 习
Exercises

1. 完成对话：

Complete the following dialogues:

(1) A：你大学毕业了吗？

　　B：＿＿＿＿＿＿＿＿＿＿＿＿。

　　A：是从哪个大学毕业的？

　　B：＿＿＿＿＿＿＿＿＿＿＿＿。

　　A：你大学学的专业是什么？

　　B：＿＿＿＿＿＿＿＿＿＿＿＿。

　　A：你打算以后干什么？

　　B：＿＿＿＿＿＿＿＿＿＿＿＿。

(2) A：你们快要考试了吧？

　　B：＿＿＿＿＿＿＿＿＿＿＿＿。

　　A：这学期你考几门课？

　　B：＿＿＿＿＿＿＿＿＿＿＿＿。

　　A：是什么课？

B：_____。

A：你什么时候大学毕业？

B：_____。

A：祝你一切顺利！

B：_____。

2. 翻译：

Translation:

A.（1）贸易公司　　合资企业　　商业汉语

（2）学外语　　　准备考试　　做买卖

（3）比较辛苦　　努力学习　　非常重要

B.（1）来中国以前，我在一家电器公司工作。

（2）来中国以后，我胖了很多。

（3）考试以前，我不打算出去旅游了。

（4）下课以后，我要去图书馆。

3. 用"是……的"回答下列问题：

Use "*Shi…de*" to answer the following questions:

（1）你是什么时候出生的？

（2）张新是什么时候告诉你的？

（3）他是几点走的？

（4）你从哪儿来的？

（5）你在哪儿看到他的？

生 词
New Words

1. 打算	dǎsuàn	（动、名）	plan, intend
2. 毕业	bìyè	（动）	graduate
3. 商业	shāngyè	（名）	business, commerce
4. 国际	guójì	（名）	international
5. 最近	zuìjìn	（名）	recently
6. 经济	jīngjì	（名）	economy
7. 发展	fāzhǎn	（动、名）	develop, development
8. 从	cóng	（介）	from
9. 专业	zhuānyè	（名）	major, specialty
10. 方面	fāngmiàn	（名）	area, aspect
11. 知识	zhīshi	（名）	knowledge
12. 外语	wàiyǔ	（名）	foreign language
13. 合资	hézī	（名）	joint venture
14. 企业	qǐyè	（名）	venture, company
15. 辛苦	xīnkǔ	（形）	hard, tough
16. 准备	zhǔnbèi	（动）	prepare
17. 考	kǎo	（动）	examine
考试	kǎoshì	（名）	examination
18. 找	zhǎo	（动）	look for
19. 重要	zhòngyào	（形）	important

20. 进步　　jìnbù　　　　（形）　　　progress,
　　　　　　　　　　　　　　　　　improvement
21. 张新　　Zhāngxīn　　　　　　　　Zhang Xin
22. 除了……　chúle…　　　　　　　　except (that)
　　还要……　háiyào…　　　　　　　　besides (that)

3

旅　游
Travelling

Sentence Patterns

21. 好久不见，你最近去哪儿了？

Hǎojiǔ bú jiàn, nǐ zuìjìn qù nǎr le?

Long time no seen. Where have you been recently?

22. 北京国际啤酒节办得非常成功。

Běijīng Guójì Píjiǔjié bàn de fēicháng chénggōng.

The Beijing International Beer Festival was a great success.

23. 啤酒节结束以后，我又去了中国南方。

Píjiǔjié jiéshù yǐhòu, wǒ yòu qù le Zhōngguó nánfāng.

When the Beer Festival was over, I went to South China.

24. 听说桂林的风景是中国最漂亮的。

Tīngshuō Guìlín de fēngjǐng shì Zhōngguó zuì piàoliàng de.

I have heard that the scenery of Guilin is the most beautiful in China.

25. 我拍了一些照片儿，你看看！

Wǒ pāi le yìxiē zhàopiānr, nǐ kànkan!

I have taken some photos, please take a look.

26. 这些山真奇特！

Zhèxiē shān zhēn qítè!

These mountains are really fantastic.

27. 漓江的水清得可以看见人。

Lí Jiāng de shuǐ qīng de kěyǐ kànjiàn rén.

The Lijiang River is so clear as to show reflections of people.

28. 我们大家都是爬山爱好者。

Wǒmén dàjiā dōu shì páshān àihàozhě.

All of us are lovers of mountain hiking.

29. 山上的树叶都红了，好看极了！

Shān shàng de shùyè dōu hóng le, hǎo kàn jí le!

The tree leaves in the mountain all turn red.   Extremely nice!

30. 祝你们玩儿得愉快！

Zhù nǐmen wánr de yúkuài!

Enjoy yourself!

课文
Text

（一）

A：好久不见，最近你去哪儿了？

Hǎojiǔ bú jiàn, zuìjìn nǐ qù nǎr le?

Long time no seen. Where have you been recently?

B：我去中国了。

Wǒ qù Zhōngguó le.

I have gone to China.

A：是去参加北京国际啤酒节的吧？

Shì qù cānjiā Běijīng Guójì Píjiǔjié de ba?

Were you there for the Beijing International Beer Festival?

B：是，那个啤酒节办得非常成功。

Shì, nà ge Píjiǔjié bàn de fēicháng chénggōng.

Yes, the Beer Festival was a great success.

A：可是，啤酒节已经结束很长时间了！

Kěshì, Píjiǔjié yǐjīng jiéshù hěn cháng shíjiān le!

But the Beer Festival was over long time ago.

B：啤酒节结束以后，我又去中国南方旅游了几天。

Píjiǔjié jiéshù yǐhòu, wǒ yòu qù Zhōngguó nánfāng lǚyóu le jǐ tiān.

After the Beer Festival was over, I travelled to the South of China for several days.

A：你去哪儿旅行了？

Nǐ qù nǎr lǚxíng le?

Where have you been for travelling?

B：我去了桂林。

Wǒ qù le Guìlín.

I went to Guilin.

A：听说，桂林的风景是中国最漂亮的。

Tīngshuō, Guìlín de fēngjǐng shì Zhōngguó zuì piàoliang de.

I have heard that the scenery of Guilin is the most beautiful in China.

B：大家都那么说。我拍了一些照片，你看看！

Dàjiā dōu nàme shuō. Wǒ pāi le yìxiē zhàopiān, nǐ kànkan!

Everybody says so. I have taken some photos, please take a look.

A：这些山真奇特！

Zhèxiē shān zhēn qítè!

These mountains are really fantastic.

B：桂林的水也很有名，漓江的水清得可以看见人。

Guìlín de shuǐ yě hěn yǒumíng, Lí Jiāng de shuǐ qīng de kěyǐ kànjiàn rén.

The water in Guilin is also very famous, the Lijiang River is so clear as to show reflections of people.

A：我还从来没去过中国。

Wǒ hái cónglái méi qùguo Zhōngguó.

I have never been to China.

B：你去中国的时候，一定要去桂林。

Nǐ qù Zhōngguó de shíhou, yídìng yào qù Guìlín.

You must visit Guilin when you go to China.

（一）

A：请问，去香山怎么走？

Qǐng wèn, qù Xiāng Shān zěnme zǒu?

Excuse me, how can I get to Xiangshan Mountain?

B：顺着这条路一直往北走，再向左拐就到了。

Shùnzhe zhè tiáo lù yìzhí wǎng běi zǒu, zài xiàng zuǒ guǎi jiù dào le.

Go straight to the North along this road,   then turn left, there it is.

A：要走多长时间？

Yào zǒu duō cháng shíjiān?

How long does it take?

B：大约三十分钟。

Dàyuē sānshí fēnzhōng.

About 30 minutes.

A：谢谢！

Xièxie!

Thank you!

B：不客气。你们是去爬山的吧？

Bú kèqì. Nǐmen shì qù pá shān de ba?

You are welcome. Are you going to climb the mountain?

A：是，我们都是爬山爱好者。

Shì, wǒmen dōu shì pá shān àihàozhě.

Yes, all of us are lovers of mountain hiking.

B：爬山是很好的运动，很锻炼身体。

Pá shān shì hěn hǎo de yùndòng, hěn duànliàn shēntǐ.

Mountain hiking is a very good exercise.

A：听说香山的风景也很漂亮。

Tīng shuō Xiāng Shān de fēngjǐng yě hěn piàoliang.

I have heard that the scenery of Xiangshan is also very beautiful.

B：现在是秋天,山上的树叶都红了,好看极了。

Xiànzài shì qiūtiān, shān shang de shùyè dōu hóng le, hǎo kàn jí le.

It is autumn now and the tree leaves in the mountain all turn red, Extremely nice!

A：那到香山玩儿的人一定很多了?

Nà dào Xiāng Shān wánr de rén yídìng hěn duō le?

There must be lots of people?

B：非常多,大家都希望一边爬山,一边看风景。

Fēicháng duō, dàjiā dōu xīwàng yìbiān pá shān, yìbiān kàn fēngjǐng.

There are a lot. Everybody wishes to enjoy the nice view while climbing the mountain.

A：谢谢您,再见!

Xièxie nín, zàijiàn!

Thank you, good-bye!

B：再见,祝你们玩儿得愉快!

Zàijiàn, zhù nǐmen wánr de yúkuài!

Good-bye! Enjoy yourself!

注 释
Annotation

1. 好久不见   *Hǎojiǔ bú jiàn*

是常用的问候语。

It is often used as greetings.

Examples:

好久不见，身体好吗？

Long time no seen. Is your health in the pink?

好久不见，工作忙吗？

Long time no seen. Are you busy with the work?

2. 清得可以看见人   *Qīng de kěyǐ kànjiàn rén*

是动补词组，补语"可以看见人"补充说明"清"的程度。这种动补词组在汉语里非常丰富，可以是"动词 + 补语"，也可以是"形容词 + 补语"，补语可以是简单的动词、形容词，也可以是复杂的词组。补语前边往往用一个"得"。

It is a "verb + complement" phrase. "*Kě yǐ kànjiàn rén*" further explains the degree of "*Qīng*" (clear). There are lots of such phrases in Chinese. Their structure can be "verb + complement", or "adjective + complement". The complement can be averb, an adjective, or a complex phrase. The complement is frequently led by "*de*".

Examples:

弹得好   play well

动+得+形   verb + *de* + adjective

玩得非常高兴	enjoy oneself
动+得+词组	verb + *de* + phrase
清得可以看见人	so clear as to show the reflections of people
形+得+词组	adjective + *de* + phrase

3. 山上　　*Shān shang*

"上"表示方位，它可以直接出现在名词后表示处所。

"*shang*" indicates location. It can follow a noun directly to indicate the location.

火车上人很多。

There are many people in the train.

说明书上有产品介绍。

The product introduction is in the product manual.

报纸上有这个消息。

The news is in the news paper.

练习
Exercises

1. 选择合适的词组组成动补词组(带"得")：

Choose the suitable phrase to complete a "verb + complement" phrase with "*de*":

A	B
玩	很舒服
吃	很有意思

进步　　　　　非常大
合作　　　　　很顺利
休息　　　　　很愉快
讨论　　　　　很好
穿　　　　　　很漂亮
睡　　　　　　很快

2. 选词填空：

Fill in the following blanks with the given words:

山上　　火车上　　报纸上　　说明书上　　衣服上

(1) 你买的(　　)没有口袋。

(2) (　　)的风景非常漂亮。

(3) 我在(　　)看见了这个消息。

(4) (　　)人很多。

(5) 你看看(　　)有没有产品质量的介绍。

New Words

1. 好久	hǎojiǔ	（副）	long time
2. 见	jiàn	（动）	see, meet
3. 啤酒	píjiǔ	（名）	beer
4. 节	jié	（名）	festival
5. 啤酒节	píjiǔjié	（名）	beer festival
6. 办	bàn	（动）	to organize

7. 成功	chénggōng	(形)	successful
8. 结束	jiéshù	(动)	to end, to finish
9. 南方	nánfāng	(名)	the South
10. 听说	tīngshuō	(动)	to hear about
11. 桂林	Guìlín	(名)	Guilin
12. 拍	pāi	(动)	take (a picture)
13. 照片儿	zhàopiānr	(名)	photo
14. 山	shān	(名)	mountain, hill
15. 奇特	qítè	(形)	fantastic, unusual
16. 清	qīng	(形)	clear
17. 漓江	Lí Jiāng		Lijiang
18. 大家	dàjiā	(名)	everybody
19. 爬	pá	(动)	climb
20. 树叶	shùyè	(名)	leaf
21. 香山	Xiāng Shān		Xiangshan Mountain
22. 顺着	shùnzhe	(动)	(go) along
23. 拐	guǎi	(动)	turn (left or right)
24. 锻炼	duànliàn	(动)	exercise

等了一个小时

Waiting for an hour

Sentence Patterns

31. 我等了你一个小时了。

Wǒ děng le nǐ yí ge xiǎoshí le.

I have been waiting for you for an hour.

32. 我昨天夜里没睡好,今天早上起晚了。

Wǒ zuótiān yèli méi shuì hǎo, jīntiān zǎoshang qǐwǎn le.

I did not sleep well last night, and got up late this morning.

33. 我写了一份申请。

Wō xiě le yí fèn shēnqǐng.

I wrote an application.

34. 我申请明年去中国留学。

Wǒ shēnqǐng míngnián qù Zhōngguó liúxué.

I apply to study in China next year.

35. 明年九月动身,后年八月回来。

Míngnián jiǔ yuè dòng shēn, hòunián bā yuè huílai.

I will start in September next year and return in August

33

the year after next.

36. 我的消息很可靠。

Wǒ de xiāoxi hěn kěkào.

My information is very reliable.

37. 他上个星期刚回来。

Tā shàng ge xīngqī gāng huílai.

He just came back last week.

38. 她下个月去香港。

Tā xià ge yuè qù Xiānggǎng.

She will go to Hong Kong next month.

39. 我看你应该八月下旬动身。

Wǒ kàn nǐ yīnggāi bā yuè xiàxún dòng shēn.

I think you should set off in the later August.

40. 我不是下个月上旬去，是中旬去。

Wǒ bú shì xià ge yuè shàngxún qù, shì zhōngxún qù.

I am not going in the beginning, but in the middle of next month.

课　文

Text

（一）

A：听说你最近去中国了！

Tīng shuō nǐ zuìjìn qù Zhōngguó le!

I have heard that you have been to China recently.

B：我去北京参加了一个商品交易会。

Wǒ qù Běijīng cānjiā le yí ge shāngpǐn jiāoyìhuì.

I went to Beijing for a Commodity Trade Fair.

A：什么时候去的?

Shénme shíhou qù de?

When did you go there?

B：上个月十五号。

Shàng ge yuè shíwǔ hào.

The 15th of last month.

A：去了多长时间?

Qù le duō cháng shíjiān?

How long have you been there?

B：大约三个星期。

Dàyuē sān ge xīngqī.

About three weeks.

A：三个星期一直住在北京吗?

Sān ge xīngqī yìzhí zhùzài Běijīng ma?

Have you been in Beijing for the whole three weeks?

B：不,在北京住了九天,又去上海玩儿了一个星期。

Bù, zài Běijīng zhù le jiǔ tiān, yòu qù Shànghǎi wánr le yí ge xīngqī.

No, I have stayed in Beijing for nine days and then been in Shanghai for a week.

A：还有几天呢?

Hái yǒu jǐ tiān ne?

How about the other days?

B：还有几天去了香港。

Hái yǒu jǐ tiān qù le Xiānggǎng.

I have been in Hong Kong for several days.

A：下个月我也要去香港。

Xià ge yuè wǒ yě yào qù Xiānggǎng.

I am also going to Hong Kong next month.

B：今天已经27号了，你下个星期就要去了吗？

Jīntiān yǐjing èrshíqī hào le, nǐ xià ge xīngqī jiù yào qù le ma?

It is already the 27th today, are you going next week?

A：不，我不是上旬去，是下个月中旬去。

Bù, wǒ bú shì shàngxún qù, shì xià ge yuè zhōngxún qù.

No, I am going not in the beginning, but in the middle of next month.

(二)

A：你怎么才来，我等了你一个小时了。

Nǐ zěnme cái lái, wǒ děng le nǐ yí ge xiǎoshí le.

Here you come. I have been waiting for you for an hour.

B：对不起，我昨天夜里没睡好，今天早上起晚了。

Duìbuqǐ, wǒ zuótiān yèli méi shuì hǎo, jīntiān zǎoshang qǐ wǎn le.

I am sorry. I did not sleep well last night, and got up late this morning.

A：你身体不舒服吗？

Nǐ shēntǐ bù shūfu ma?

Do you feel well?

B：不，我写了一份申请，睡得太晚了。

　　Bù, wǒ xiě le yí fèn shēnqǐng, shuì de tài wǎn le.

　　No, I wrote an application and went to bed too late.

A：写什么申请？

　　Xiě shénme shēnqǐng?

　　What application did you write?

B：我申请明年去中国留学。

　　Wǒ shēnqǐng míngnián qù Zhōngguó liúxué.

　　I apply to study in China next year.

A：你打算留学多长时间？

　　Nǐ dǎsuàn liúxué duō cháng shíjiān?

　　How long do you plan to study?

B：我打算去一年，明年九月动身，后年八月回来。

　　Wǒ dǎsuàn qù yì nián, míngnián jiǔ yuè dòng shēn, hòunián

　　bā yuè huílai.

I plan to study for one year, starting in September next year and returning in August the year after next.

A：听说中国的学校九月一日开学。

Tīngshuō Zhōngguó de xuéxiào jiǔ yuè yī rì kāi xué.

I have heard that Chinese school opens on Sept. 1st.

B：你的消息可靠吗?

Nǐ de xiāoxi kěkào ma?

Is your information reliable?

A：很可靠,我的一个朋友上个星期刚从中国留学回来。

Hěn kěkào, wǒ de yí ge péngyǒu shàng gè xīngqī gāng cóng Zhōngguó liúxué huílai.

Very reliable. One friend of mine just came back from his study in China last week.

B：那我九月动身晚了一点儿。

Nà wǒ jiǔ yuè dòng shēn wǎn le yìdiǎnr.

So it's a little late if I start in September.

A：我看你应该八月下旬动身。

Wǒ kàn nǐ yīnggāi bā yuè xiàxún dòng shēn.

I think you should set off at the later August.

B：现在就决定动身时间还太早,应该先写申请。

Xiànzài jiù juédìng dòng shēn shíjiān hái tài zǎo, yīnggāi xiān xiě shēnqǐng.

It is still too early to decide when to set off. I'll write the application first.

注 释

Annotation

1. 我等了你一个小时   *Wǒ děng le nǐ yí ge xiǎoshí*

汉语中表示动作持续的时间是在动词后加上时间词,如果动作已经完成,还可以在动词和时间词之间加上"了"。如果句尾也用"了",表示动作一直持续到现在。

To indicate the continuation of an action in Chinese is to add words expressing time after the verb. If the action is finished, "*le*" should be inserted between the verb and the time. If the sentence ends with "*le*", the action has lasted till now.

Examples:

等了一个小时	to have waited for an hour
玩了一个星期	to have traveled for a week
住了九天	to have stayed for nine days
去了一年	to have gone for a year
等了一个小时了	to have been waiting for an hour
玩了一个星期了	to have been traveling for a week
住了九天了	to have been staying for nine days
去了一年了	to have been there for a year

2. 刚   *Gāng*

是副词,用在动词前,强调动作是在说话前不久发生的。

It is an adverb, followed by a verb to emphasize that the action takes place shortly before the talk.

39

Examples:

刚吃过饭	to have just had the meal
刚起床	to have just got up
刚回来	to have just come back

3. 上个月、下个月　　***Shàng ge yuè, xià ge yuè***

"上"和"下"在这里表示时间,除了和"月"配合使用外,还说"上星期,下星期"。

"*Shàng*" and "*xià*" indicates time. Besides "*yuè*" (month), there are other similar expressions such as "*Shàng xīngqī, xià xīngqī*" (last week/ next week).

4. 我看……　　***Wǒ kàn***…

这是一种表示自己看法的格式,意思是"我认为……"。

This is a structure expressing opinions, meaning "*Wǒ rèn wéi*…" (I think...).

练 习

Exercises

1. 回答下列问题:

Answer the following questions:

(1) 你昨天晚上睡了几个小时?

(2) 他每天工作多长时间?

(3) 你打算在中国住几个星期?

(4) 这两个公司合作几年了?

2. 翻译：

Translation:

(1) 去年　　　　今天　　　　　明年　　　　　后年

(2) 上个星期　下个星期　　上个月　　　　下个月

(3) 上旬　　　　中旬　　　　下旬

3. 选词填空：

Fill in the following blanks with the given words:

　　　刚　　才　　就

(1) 飞机场不太远,一小时(　　　)到。

(2) 八点上课,他八点五分(　　　)到。

(3) 八点上课,他七点五十(　　　)到了。

(4) 你怎么(　　　)来,我等了你那么长时间。

(5) 小王最近(　　　)开始学习外语。

4. 连词成句：

Make complete sentences with the words listed:

(1) 消息　　我　　很　　的　　　可靠

(2) 中旬　　一直　住　　八月　北京　　在

(3) 中国　　开学　听说　的　　九月　上旬

　　学校

(4) 刚　　　回来　留学　中国　从　　　的

　　朋友　我

生词
New Words

1. 夜里	yèli	（名）	night
2. 起	qǐ	（动）	get up
3. 写	xiě	（动）	write
4. 份	fèn	（量）	*measure word*
5. 申请	shēnqǐng	（动、名）	apply, application
6. 留学	liúxué	（动）	study abroad
7. 动身	dòng shēn		start, set off
8. 回	huí	（动）	return
回来	huílai	（动）	return
9. 消息	xiāoxi	（名）	information, news
10. 可靠	kěkào	（形）	reliable
11. 刚	gāng	（副）	just
12. 下旬	xiàxún	（名）	the last 10 days of a month
13. 上旬	shàngxún	（名）	the first 10 days of a month
14. 中旬	zhōngxún	（名）	the second 10 days of a month
15. 香港	Xiānggǎng		Hong Kong
16. 决定	juédìng	（动、名）	decide, decision

5 坐飞机

Taking the airplane

Sentence Patterns

41. 您买哪次航班的飞机票?

    Nín mǎi nǎ cì hángbān de fēijīpiào?

    Which flight do you want?

42. 请看一下您的护照、签证。

    Qǐng kàn yíxià nín de hùzhào, qiānzhèng.

    Please show your passport and visa.

43. 从北京到巴黎,要飞多少小时?

    Cóng Běijīng dào Bālí, yào fēi duōshao xiǎoshí?

    How long does it take to fly from Beijing to Paris?

44. 飞机八点起飞。

    Fēijī bā diǎn qǐfēi.

    The plane takes off at 8 o'clock.

45. 当天下午四点到达。

    Dàngtiān xiàwǔ sì diǎn dàodá.

    It arrives at four o'clock on the same day.

46. 时间还早,不着急。

    Shíjiān hái zǎo, bù zháojí.

43

It is still early enough. There is no hurry.

47. 我记得上次用了大约一个小时。

Wǒ jìde shàngcì yòng le dàyuē yí ge xiǎoshí.

It took about one hour last time, as far as I remember.

48. 现在和那时候不一样了。

Xiànzài hé nà shíhou bù yíyàng le.

It is different now from then.

49. 这是我第一次来中国旅游。

Zhè shì wǒ dì yícì lái Zhōngguó lǚyóu.

This is my first travelling trip to China.

50. 海关检查一次比一次快。

Hǎiguān jiǎnchá yí cì bǐ yí cì kuài.

The customs checks have been faster ever since.

课 文
Text

（一）

（在北京买飞机票　Buying an air ticket at Beijing）

A：小姐，我买一张飞机票。

Xiǎojiě, wǒ mǎi yì zhāng fēijīpiào.

Miss, I want to buy an air ticket.

B：您买哪次航班的？

Nín mǎi nǎ cì hángbān de?

Which flight do you want?

A：我买去法国巴黎的飞机票。

Wǒ mǎi qù Fǎguó Bālí de fēijīpiào.

I want to buy a ticket to Paris, France.

B：请看一下您的护照。

Qǐng kàn yíxià nín de hùzhào.

Please show me your passport.

A：好，给您。

Hǎo, gěi nín.

Here you are.

B：谢谢！

Xièxie!

Thank you.

A：请问，从北京到巴黎要飞多少小时？

Qǐng wèn, cóng Běijīng dào Bālí yào fēi duōshao xiǎoshí?

Excuse me, how long does it take to fly from Beijing to Paris?

B：大约飞九个小时。

Dàyuē fēi jiǔ ge xiǎoshí.

About nine hours.

A：飞机几点起飞？

Fēijī jǐ diǎn qǐfēi?

When does it take off?

B：下午两点多。

Xiàwǔ liǎng diǎn duō.

About two in the afternoon.

A：巴黎时间当天下午四点多到达。

　　Bālí shíjiān dàngtiān xiàwǔ sì diǎn duō dàodá.

　　It arrives around four o'clock in the afternoon, Paris time.

B：是，这次航班时间不错，白天动身，白天到达。

　　Shì, zhè cì hángbān shíjiān búcuò, báitiān dòng shēn, báitiān dàodá.

　　Well, good schedule, starting off in the daytime and arriving in the daytime as well.

A：我要一张。

　　Wǒ yào yì zhāng.

　　I'll take one.

(二)

（两位外商在旅店收拾行李，准备去机场，他们要回国了。 Two foreign businessmen are packing in the hotel before they leave for the airport. They are going back to their countries.）

A：我们快走吧，时间不早了！

　　Wǒmen kuài zǒu ba, shíjiān bù zǎo le!

　　We shall go now. It is getting late.

B：不着急。

　　Bù zháojí.

　　No hurry.

A：飞机十点起飞，现在已经八点二十了。

　　Fēijī shí diǎn qǐfēi, xiànzài yǐjing bā diǎn èrshí le.

The plane will take off at 10 o'clock and it's already twenty past eight now.

B：从饭店到飞机场不太远，半个小时就可以到。

Cóng fàndiàn dào fēijīchǎng bú tài yuǎn, bàn ge xiǎoshí jiù kěyǐ dào.

The hotel is not far from the airport. It is only half an hour's ride.

A：可是，海关检查很慢。

Kěshì, hǎiguān jiǎnchá hěn màn.

But the customs check is slow.

B：现在海关进步了，检查签证、行李，一会儿就好了。

Xiànzài hǎiguān jìnbù le, jiǎnchá qiānzhèng, xíngli, yíhuìr jiù hǎo le.

The customs have improved. Checking of visa and luggage would be done in a few minutes.

A：是吗？我记得上次出海关用了大约一个小时。

Shì ma? Wǒ jìde shàngcì chū hǎiguān yòng le dàyuē yí ge xiǎoshí.

Are you sure? I remember it took me one hour to go through the customs last time.

B：上次是哪一年？

Shàngcì shì nǎ yì nián?

When was it the last time?

A：一九九一年，那时候我第一次来中国旅游。

Yījiǔjiǔyī nián, nà shíhou wǒ dìyī cì lái Zhōngguó lǚyóu.

In 1991, when I made my first travelling trip to China.

B：最近我经常来中国做买卖，现在和那时候不一样
了。

Zuìjìn wǒ jīngcháng lái Zhōngguó zuò mǎimai, xiànzài hé nà
shíhou bù yíyàng le.

I have often come to Beijing recently on business. It is
different now from then.

A：有什么变化?

Yǒu shénme biànhuà?

Anything changed?

B：海关检查一次比一次快。

Hǎiguān jiǎnchá yí cì bǐ yí
cì kuài.

The customs check has been
faster ever since.

A：是吗? 今天我要看看。

Shì ma? Jīntiān wǒ yào kànkan.

Is that so? Then I will try today.

注　释

Annotation

1. 从……到……　　*Cóng…dào…*

可以用来表示处所，也可以用来表示时间。

It can be used to indicate both location and time.

Examples:

处所:从北京到上海

location: from Beijing to Shanghai

时间:从八点到十点

time: from eight to ten o'clock

2. 现在和那时候不一样　　*Xiànzài hé nà shíhou bù yíyàng*

"A 和 B(不)一样",是一种表示比较的方法。

"A is (not) the same as B" is one way to suggest comparison.

Examples:

今天和昨天一样,都下雨。

 It is raining today, the same as yesterday.

我和你不一样,我没学过中文。

Not the same as you, I have never learnt Chinese before.

3. 第二天　　*Dì èr tiān*

"第"用来表示序数,表示方法是在数词前加上"第"。

"*Dì*" is used to indicate ordinal. The way of expression is to add "*dì*" before numerals.

Examples:

第一	the first
第二十	the twentieth
第二十八	the twenty-eighth
第一百	the one hundredth

练习

Exercises

1. 词语搭配：

Match the words in the two groups:

当天	海关
出	着急
检查	很快
变化	很多
很	起飞
买	护照
八点	到达
行李	飞机票

2. 用指定词回答问题：

Use the given words to answer the following questions:

(1) 你每天上几小时课？（从……到……）

(2) 你从哪儿来？（从）

(3) 从北京到上海有多远？（从……到……）

(4) 今天气温多少度？（一样）

(5) 你也喜欢喝咖啡吗？（不一样）

(6) 你以前到中国来过吗？（第）

3. 完成对话：

Complete the following dialogue:

(1) A：＿＿＿＿＿＿＿＿＿＿＿？

　　B：我要去中国旅行。

A：_____？

B：明天动身。

A：_____？

B：飞机九点十分起飞。

A：_____？

B：第二天上午到达。

(2) A：_____？

B：这是我第一次去香港。

A：_____？

B：我去香港拜访一位朋友。

A：_____？

B：从北京到香港要飞两个多小时。

A：_____？

B：护照和签证都办好了。

4. 翻译词组：

Translation:

(1) 有变化　　　　没有变化　　　变化很大

(2) 不着急　　　　很着急　　　　特别着急

(3) 记得这件事　　记得他　　　　记得你喜欢吃辣的

生词

New Words

1. 航班	hángbān	（名）	flight
2. 飞机	fēijī	（名）	airplane
3. 护照	hùzhào	（名）	passport
4. 签证	qiānzhèng	（名）	visa
5. 飞	fēi	（动）	fly
6. 起飞	qǐfēi	（动）	(of aircraft)take off
7. 当天	dàngtiān	（名）	same day
8. 到达	dàodá	（动）	arrive
9. 着急	zháojí	（形）	hurry
10. 记得	jìde	（动）	remember
11. 上次	shàngcì	（动）	last time
12. 用	yòng	（动）	use
13. 一样	yíyàng	（形）	similar
14. 海关	hǎiguān	（名）	customs
15. 检查	jiǎnchá	（动）	check
16. 白天	báitiān	（名）	daytime
17. 行李	xíngli	（名）	luggage
18. 出（海关）	chū	（动）	(customs) check out
19. 变化	biànhuà	（动）	change
20. 巴黎	Bālí		Paris

饭店的服务

Services in the hotel

Sentence Patterns

51. 我还要再呆几天。

   Wǒ hái yào zài dāi jǐ tiān.

   I want to stay for a few more days.

52. 再找一个投资项目。

   Zài zhǎo yí ge tóuzī xiàngmù.

   To find another investment project.

53. 房地产买卖很热门。

   Fángdìchǎn mǎimai hěn rèmén.

   The real estate business is very hot.

54. 他们希望外商投资盖高级饭店、酒店。

   Tāmen xīwàng wàishāng tóu zī gài gāojí fàndiàn, jiǔdiàn.

   They hope foreign businessmen will invest on the con-
   struction of luxury hotels and restaurants.

55. 饭店的服务很好,各国的饭菜都可以吃到。

   Fàndiàn de fúwù hěn hǎo, gè guó de fàncài dōu kěyǐ chīdào.

   The restaurant provides very good services and you can
   take dishes of various countries.

56. 我要退房间。

Wǒ yào tuì fángjiān.

I want to check out.

57. 请给我零钱。

Qǐng gěi wǒ língqián.

Please give me small change.

58. 请把钥匙留下。

Qǐng bǎ yàoshi liúxia.

Please leave the key behind.

59. 谢谢您的合作，欢迎您下次再来。

Xièxie nín de hézuò, huānyíng nín xià cì zài lái.

Thank you for your cooperation and hope to see you again.

60. 我在这儿生活得很愉快。

Wǒ zài zhèr shēnghuó de hěn yúkuài.

I have a very good time here.

课 文
Text

（一）

（两位外国客人在饭店边吃饭边谈话。 Two foreign guests are talking while dining in the hotel.）

A：平田先生，订货会结束以后，您马上就回国吗？

　　Píngtián xiānsheng, dìnghuòhuì jiéshù yǐhòu, nín mǎshàng jiù huí guó ma?

　　Mr. Hirata, will you go back to your country as soon as the fair is over?

B：不，我还要再呆几天。你呢？

　　Bù, wǒ hái yào zài dāi jǐ tiān. Nǐ ne?

　　No, I want to stay for a few more days. How about you?

A：我也打算再呆几天。我想再找一个投资项目。

　　Wǒ yě dǎsuàn zài dāi jǐ tiān. Wǒ xiǎng zài zhǎo yí ge tóuzī xiàngmù.

　　I also intend to stay for several more days. I want to find another investment project.

B：听说房地产买卖很热门。

　　Tīngshuō fángdìchǎn mǎimai hěn rèmén.

　　I have heard the real estate business is quite hot.

A：我也听说了，许多中国的公司希望外商投资，盖高级饭店、酒店。

　　Wǒ yě tīngshuō le, xǔduō Zhōngguó de gōngsī xīwàng wàishāng

55

tóuzī, gài gāojí fàndiàn, jiǔdiàn.

I have heard about that, too. Many Chinese companies want the foreigners to invest on the construction of luxury restaurants and hotels.

B：我们住的这家饭店也是外商投资盖的。

Wǒmen zhù de zhè jiā fàndiàn yě shì wàishāng tóuzī gài de.

The hotel we are living in is built by a foreign investor, too.

A：是吗？这家饭店不错，只是贵了一点儿。

Shì ma? Zhè jiā fàndiàn búcuò, zhǐ shì guì le yìdiǎnr.

Really?　It is a good hotel,　just the price is a little too high.

B：可是饭店的服务很好，各国的饭菜都可以吃到。

Kěshì fàndiàn de fúwù hěn hǎo,　gè guó de fàn cài dōu kěyǐ chīdào.

But the hotel provides very good services,　here you can take dishes of various countries.

A：我打算明天退房间，去别的饭店住。

Wǒ dǎsuàn míngtiān tuì fángjiān, qù biéde fàndiàn zhù.

I want to check out tomorrow and move to another hotel.

B：我去昆仑饭店，上次我来北京就住在那里。

Wǒ qù Kūnlún Fàndiàn, shàng cì wǒ lái Běijīng jiù zhù zài nàli.

I am going to Kunlun Hotel.　I lived there during my last visit in Beijing.

A：那里比这里便宜吗？

Nàli bǐ zhèlǐ piányi ma?

Is it less expensive there?

B：房间跟这儿一样，但是价格比这儿的便宜。

Fángjiān gēn zhèr yíyàng, dànshì jiàgé bǐ zhèr de piányi.

The rooms are the same while the prices are lower.

（二）退房间
Check out

A：小姐，我要退房间。

Xiǎojiě, wǒ yào tuì fángjiān.

Miss, I want to check out.

B：您住了几天？

Nín zhù le jǐ tiān?

How long have you stayed?

A：从十八号到今天，一共五天。

Cóng shíbā hào dào jīntiān, yígòng wǔ tiān.

I have stayed here since the eighteenth, five days in total.

B：每天二百二十五元，五天，一共一千一百二十五元。

Měi tiān èrbǎi èrshíwǔ yuán, wǔ tiān, yígòng yìqiān yìbǎi èr-shíwǔ yuán.

It costs 225 Yuan per day, five days make it 1,125 Yuan in total.

A：这是一千一百五十元。

Zhè shì yìqiān yìbǎi wǔshí yuán.

Here is 1,150 Yuan.

B：您有零钱吗？请给我零钱。

Nín yǒu língqián ma? Qǐng gěi wǒ língqián.

Do you have small change? Would you please give me the small change?

A：请等一下，我看看，有。

Qǐng děng yíxià, wǒ kànkan, yǒu.

Wait a moment, let me have a look. Yes, I have.

B：谢谢！

Xièxie!

Thank you!

A：没什么。

Méi shénme.

You are welcome.

B：再麻烦您把钥匙留下。

Zài máfan nín bǎ yàoshi liúxia.

Please leave the key behind.

A：好，给您。

Hǎo, gěi nín.

All right, here you are.

B：谢谢您的合作，欢迎您下次再来。

Xièxiè nín de hézuò, huānyíng nín xià cì zài lái.

Thank you for your cooperation and hope to see you again.

A：谢谢你们的服务，我在这儿生活得很愉快。

Xièxie nǐmen de fúwù, wǒ zài zhèr shēnghuó de hěn yúkuài.

Thank you for your services. I have had a good time here.

注 释

Annotation

1. 吃到　　*Chīdào*

"动词 + 到"，表示动作完成。

"Verb + *dào*" is used to indicate the completion of an action.

Examples:

买到	to have already bought
听到	to have heard
吃到	to have eaten

2. 把钥匙留下　　*Bǎ yàoshi liúxia*

"把 + 名词"可以用在动词前，"把"后的名词一般是后边动词的宾语，这个动词一般是复杂的。

"*Ba* + noun" can be used before a verb. The noun after "*ba*" is usually the object of the verb followed, and verb is often a complex one.

Examples:

把汉语学好	to master Chinese
把申请书留下	to leave the application behind

3. 留下　　*Liúxià*

"动词 + 下"也表示动作完成。

"Verb + *xià*" also indicates the completion of an action.

Examples:

买下　　　to have bought

住下　　　to have settled down

留下　　　to have stayed, to leave...behind

练　习
　　　　Exercises

1. 选词填空：

Fill in the following blanks with the given words:

买到　　吃到　　看到　　买下　　住下　　留下

（1）请你把说明书（　　），我想看看。

（2）昨天我在商店（　　）一本很有意思的书。

（3）我从报纸上（　　）一个消息。

（4）你今天晚上不要走了，在我们家（　　）吧!

（5）这么便宜的衣服，我要把它们（　　）。

（6）在这个饭店可以（　　）各国的饭菜。

2. 用指定词完成句子(用"把……"句式)：

Use the given words to complete the following sentences with "bǎ…":

（1）现在开始上课，请同学们＿＿＿＿＿＿＿＿。（打开）

（2）明天早上我要回国了，我今天晚上＿＿＿＿＿＿＿＿。
（退了）

（3）今天外面很冷，你要＿＿＿＿＿＿＿＿。（穿好）

（4）今后我要和中国做买卖，我应该＿＿＿＿＿＿＿。（学好）

3. 翻译词组：

Translation:

(1)　找投资项目　　　　　(2)　呆一会儿
　　　找合作公司　　　　　　　呆几天
　　　找高级饭店　　　　　　　呆一年

(3)　盖饭店　　　　　　　(4)　退房间
　　　盖学校　　　　　　　　　退飞机票
　　　盖博物馆　　　　　　　　退服装

4. 替换练习：

Substitution exercises:

(1) 请把衣服 穿好。

旧衣服	卖掉
书	打开
说明书	留下

(2) 他已经把这本书 看完了。

飞机票	买好
零钱	准备好
申请	写好

生 词
New Words

1. 呆	dāi	(动)	stay
2. 投资	tóuzī	(动)	invest
3. 项目	xiàngmù	(名)	project
4. 房地产	fángdìchǎn	(名)	real estate
5. 热门	rèmén	(形)	hot
6. 外商	wàishāng	(名)	foreign investors
7. 盖	gài	(动)	build
8. 高级	gāojí	(形)	luxury
9. 酒店	jiǔdiàn	(名)	hotel
10. 服务	fúwù	(动、名)	serve; service
11. 退	tuì	(动)	check out, return
12. 零钱	língqián	(名)	small change
13. 把	bǎ	(介)	*a preposition showing disposal*
14. 钥匙	yàoshi	(名)	key
15. 留	liú	(动)	leave behind
16. 下次	xià cì		next time
17. 生活	shēnghuó	(动)	live
18. 昆仑饭店	Kūnlún Fàndiàn		Kunlun Hotel

19. 一共	yígòng	（副）	in total
20. 百	bǎi	（数）	hundred
21. 千	qiān	（数）	thousand

参加晚会

Attending a party

Sentence Patterns

61. 这个周末你打算做什么？

Zhè ge zhōumò nǐ dǎsuàn zuò shénme?

What are you going to do this weekend?

62. 我还没有什么计划。

Wǒ hái méiyǒu shénme jìhuà.

I have no plan yet.

63. 咱们去参加朋友的生日晚会吧。

Zánmen qù cānjiā péngyou de shēngri wǎnhuì ba.

Let us take part in my friend's birthday party.

64. 我很愿意去。

Wò hěn yuànyì qù.

I would like to.

65. 她很热情。

Tā hěn rèqíng.

She is very warm-hearted.

66. 我要准备什么礼物？

Wǒ yào zhǔnbèi shénme lǐwù?

What present shall I prepare?

67. 祝你生日快乐！

Zhù nǐ shēngri kuàilè!

Happy birthday to you.

68. 今天的晚会是怎么安排的？

Jīntiān de wǎnhuì shì zěnme ānpái de?

What is the schedule of the party this evening?

69. 先自由交谈，然后还有舞会。

Xiān zìyóu jiāotán, ránhòu hái yǒu wǔhuì.

Free talk first, then the dance party.

70. 没有机会好好儿玩儿玩儿。

Méiyǒu jīhuì hǎohǎor wánrwánr.

No chance to have any fun.

课 文
Text

(一)

A：这个周末你打算干什么？

Zhè ge zhōumò nǐ dǎsuàn gàn shénme?

What are you going to do this weekend?

B：我还没有什么计划。

Wǒ hái méiyǒu shénme jìhuà.

I have no plan yet.

A：和我一起去参加朋友的生日晚会吧！

Hé wǒ yìqǐ qù cānjiā péngyou de shēngri wǎnhuì ba!

Please join me in my friend's birthday party.

B：哪位朋友，我认识吗？

Nǎ wèi péngyou, wǒ rènshi ma?

Who? Anyone I know?

A：你认识，是王红。

Nǐ rènshi, shì Wáng Hóng.

You know her. It's Wang Hong.

B：是她呀！她今年多大了？

Shì tā ya!　Tā jīnnián duō dà le?

It's her!　How old is she?

A：到星期六，她就二十二岁了。

Dào xīngqīliù, tā jiù èrshí'èr suì le.

She will be 22 by this Saturday.

B：我很愿意去，不过她可能不认识我，我去合适吗？

Wǒ hěn yuànyì qù,　búguò tā kěnéng bú rènshi wǒ,　wǒ qù héshì ma?

I would like to. But she may not know me. Is it appropriate for me to go there?

A：不要紧，王红很热情，她喜欢认识新朋友。

Bú yàojǐn,　Wáng Hóng hěn rèqíng,　tā xǐhuan rènshi xīn péngyou.

It's o.k.　Wang Hong is very warm-hearted.　She likes to make new friends.

B：我要准备什么礼物？

Wǒ yào zhǔnbèi shénme lǐwù?

What present shall I prepare?

A：你送给她一张生日卡吧！

Nǐ sònggěi tā yì zhāng shēngrikǎ ba!

You may send her a birthday card.

B：好吧，生日晚会在哪儿开？

Hǎo ba, shēngri wǎnhuì zài nǎr kāi?

O.K. Where will be the birthday party?

A：在她家。她家就在学校附近，走十五分钟就到了。

Zài tā jiā. tā jiā jiù zài xuéxiào fùjìn, zǒu shíwǔ fēnzhōng jiù dào le.

At her home. She lives near the school, just 15 minutes' walk.

（二）

A：祝你生日快乐！

Zhù nǐ shēngri kuàile!

Happy birthday to you.

B：谢谢！这位是——？

Xièxie! Zhè wèi shì——?

Thank you. So this is...?

A：我来介绍一下，这是我的朋友，他叫张新。

Wǒ lái jièshào yíxià, zhè shì wǒ de péngyou, tā jiào Zhāng Xīn.

I would like to introduce my friend, Zhang Xin.

B：认识你很高兴。

Rènshi nǐ hěn gāoxìng.

Nice to meet you.

C：认识你我也很高兴，祝你生日快乐！这张生日卡送给你。

Rènshi nǐ wǒ yě hěn gāoxìng, zhù nǐ shēngri kuàilè! Zhè zhāng shēngrikǎ sònggěi nǐ.

Nice to meet you, too. Happy birthday! This card is for you.

B：你太客气了！那儿有各种酒和水果，请随便。

Nǐ tài kèqi le! Nàr yǒu gè zhǒng jiǔ hé shuǐguǒ, qǐng suíbiàn.

It is very nice of you. Please help yourself with some wine and fruits.

C：谢谢，你家真漂亮，又大又舒服。

Xièxie, nǐ jiā zhēn piàoliang, yòu dà yòu shūfu.

Thank you. You have a beautiful home, large and comfortable.

A：王红，今天的晚会是怎么安排的？

Wáng Hóng, jīntiān de wǎnhuì shì zěnme ānpái de?

Wang Hong, what is the schedule of the party this evening?

B：先自由交谈，喝酒，一会儿吃生日蛋糕，然后还有舞会。

Xiān zìyóu jiāotán, hē jiǔ, yíhuìr chī shēngri dàngāo, ránhòu hái yǒu wǔhuì.

Free talk first, drinking, then the birthday cake and the dance party.

A：有舞会，太好了！张新，今天晚上咱们要好好儿玩儿玩儿。

Yǒu wǔhuì, tài hǎo le! Zhāng Xīn, jīntiān wǎnshang zánmen yào hǎohǎor wánrwánr.

Dance party, wonderful! Zhang Xin, we will have good fun this evening.

C：是啊，最近学习太忙了，一直没有机会好好儿玩儿玩儿。

Shì a,　zuìjìn xuéxí tài máng le,　yìzhí méiyǒu jīhuì hǎohǎor wánrwánr.

Yeah, we have been busy with the study recently and no chance to have any fun.

A：走，咱们先去喝点儿什么！

Zǒu, zánmen xiān qù hē diǎnr shénme!

Let's go for some drinking!

C：喝点儿葡萄酒吧，白酒我不会喝。

Hē diǎnr pútáojiǔ ba, báijiǔ wǒ bú huì hē.

I would like some wine. I cannot drink liquor.

注 释

Annotation

1. 咱们   *Zánmen*

用"咱们"时，一定包括听话人在内，用"我们"时，听话人可以不包括在内。

When "*Zanmen*" is used, it definitely includes the listener; when "*Wǒmen*" is used, it does not necessarily include the listener.

2. 好好儿玩儿玩儿   *Hǎohǎor wánrwánr*

"好好"是形容词"好"的重叠式。用在动词前，第二个"好"读作阴平，并且"儿化"。

"*Hǎohǎor*" is the reduplicated form of the adjective "*hǎo*". When used before a verb, the second "*hǎo*" should be pronounced in the first tone and the "*er*" should be attached.

Examples:

好好儿学习　　　　study hard
好好儿休息　　　　take a good rest
好好儿玩一天　　　have good fun for a whole day

练 习

Exercises

1. 翻译词组：

Translate the following phrases:

（1）有机会　　没有机会　　好机会　　找机会

（2）开晚会　　开舞会　　开交易会

（3）祝一切顺利　　祝生活愉快　　祝生日快乐

（4）安排计划　　安排工作　　安排学习

2. 用"好好儿……"完成下列句子：

Use "*haohaor*…" to complete the following sentences:

（1）你有机会去中国留学真好,你应该＿＿＿＿＿＿＿＿＿。

（2）我要＿＿＿＿＿＿＿我们的旅行计划。

（3）你最近身体不太好,要＿＿＿＿＿＿＿＿＿。

（4）这个博物馆我很喜欢,我要＿＿＿＿＿＿＿一天。

（5）咱们两个公司应该＿＿＿＿＿＿＿＿＿合作问题。

3. 回答问题：

Answer the following questions:

（1）您什么时候有空？我想去拜访您。

（2）我晚上七点半去您家合适吗？

（3）我要准备什么礼物吗？

（4）今天的晚会是怎么安排的？

（5）这个周末咱们一起去参加朋友的生日晚会吧？

（6）周末你打算干什么？

生 词
New Words

1. 周末	zhōumò	（名）	weekend
2. 计划	jìhuà	（名）	plan
3. 晚会	wǎnhuì	（名）	party
4. 愿意	yuànyì	（动）	willing, would like to
5. 热情	rèqíng	（形）	warm-hearted
6. 礼物	lǐwù	（名）	present, gift
7. 快乐	kuàilè	（形）	happy
8. 安排	ānpái	（动）	arrange
9. 自由	zìyóu	（形）	free
10. 交谈	jiāotán	（动、名）	conversation
11. 舞会	wǔhuì	（名）	dance party
12. 机会	jīhuì	（名）	chance, opportunity
13. 合适	héshì	（形）	suitable, appropriate
14. 不要紧	bú yàojǐn		does not matter; it's all right
15. 卡	kǎ	（名）	card
生日卡	shēngrikǎ	（名）	birthday card
16. 开	kāi	（动）	open
17. 附近	fùjìn	（名）	neighborhood

18. 随便	suíbiàn	（形）	as you like
19. 蛋糕	dàngāo	（名）	cake
20. 酒	jiǔ	（名）	alcohol
葡萄酒	pútáojiǔ	（名）	wine
白酒	báijiǔ	（名）	liquor, spirits

买手机

Buying a mobil phone

Sentence Patterns

71. 你想进商店看点儿什么?

Nǐ xiǎng jìn shāngdiàn kàn diǎnr shénme?

What do you want in this shop?

72. 摩托罗拉手机是不错,是老牌子了。

Mótuóluólā shǒujī shì búcuò, shì lǎo páizi le.

The Motorola is indeed good. It is an established brand.

73. 除了牌子有名外,款式也很新颖。

Chúle páizi yǒumíng wài, kuǎnshì yě hěn xīnyǐng.

The design is also original besides the brand.

74. 价钱怎么样? 合理吗?

Jiàqián zěnmeyàng? Hélǐ ma?

What about the price? Is it reasonable?

75. 我建议你不要买进口的,要买国产的。

Wǒ jiànyì nǐ bú yào mǎi jìnkǒu de, yào mǎi guóchǎn de.

I suggest you buy the homemade products instead of the imported ones.

76. 这款质量很不错，声音很清晰。

Zhè kuǎn zhìliàng hěn búcuò, shēngyīn hěn qīngxī.

This type is of good quality. The voice is very clear.

77. 可以储存500个电话号码。

Kěyǐ chǔcún wǔ bǎi gè diànhuà hàomǎ.

It can store up to 500 telephone numbers.

78. 还可以接收电子邮件。

Hái kěyǐ jiēshōu diànzǐ yóujiàn.

It can also receive e-mails.

79. 它是中国最大的手机厂家生产的。

Tā shì Zhōngguó zuì dà de shǒujī chǎngjiā shēngchǎn de.

It is made by the biggest mobile manufacturer in China.

80. 和同样功能的进口手机比，这个不算贵。

Hé tóngyàng gōngnéng de jìnkǒu shǒujī bǐ, zhè gè bú suàn guì.

It is not expensive compared with the imported mobile with the same functions.

课 文
Text

(一)

(两个朋友在商店门口闲聊 Two friends are chatting at the gate of the shop)

A：你想进商店看点儿什么？

Nǐ xiǎng jìn shāngdiàn kàn diǎnr shénme?

What do you want in this shop?

B：我想看看手机。

Wǒ xiǎng kànkan shǒujī.

I look around for mobile phones.

A：手机的品种可多了，有进口的，国产的，你想看哪种？

Shǒujī de pǐnzhǒng kě duō le, yǒu jìnkǒu de, guóchǎn de, nǐ xiǎng kàn nǎ zhǒng.

There are so many types of them, imported ones, locally produced. Which type are you looking for?

B：我听说摩托罗拉手机不错。

Wǒ tīngshuō Mótuóluólā shǒujī búcuò.

I was told Motorola is good.

A：摩托罗拉手机是不错，是老牌子了。

Mótuóluólā shǒujī shì búcuò, shì lǎo páizi le.

Motorola is indeed good. It is an established brand.

B：除了牌子有名外，款式也很新颖。

Chúle páizi yǒumíng wài, kuǎnshì yě hěn xīnyǐng.

The design is also original besides the brand.

A：价钱怎么样？合理吗？

Jiàqián zěnmeyàng? Hélǐ ma?

What about the price? Is it reasonable?

B：价钱也还合理，不过……

Jià qián yě hái hélǐ, búguò…

The price is reasonable, too, but...

A：怎么，质量不好吗？

Zěnme, zhìliàng bù hǎo ma?

Well, any problem with the quality?

B：不，质量也挺好，是我女朋友……

Bù, zhìliàng yě tǐnghǎo, shì wǒ nǚ péngyou…

No, the quality is o. k.. It is that my girlfriend...

A：你女朋友怎么了？

Nǐ nǚ péngyou zěnme le?

Your girlfriend?

B：我女朋友告诉我，不要买进口的，要买国产的。

Wǒ nǚ péngyou gàosù wǒ, bú yào mǎi jìnkǒu de, yào mǎi guóchǎn de.

My girlfriend told me to buy a homemade mobile instead of an imported one.

A：你女朋友说得对，这两年国产手机进步很快。

Nǐ nǚ péngyou shuō de duì, zhè liǎngnián guóchǎn shǒujī jìnbù hěn kuài.

Your girlfriend is right. Mobiles made in China have improved fast these two years.

B：那咱们就去看看国产手机。

Nà zánmen jiù qù kànkan guóchǎn shǒujī.

So let us go to have a look at the homemade mobiles.

(二)

(在手机柜台前 Before the shopping desk)

A：先生，您看手机吗？

Xiānsheng, nín kàn shǒujī ma?

May I help you, Sir?

B：是啊，请给我们介绍介绍。

Shì a, qǐng gěi wǒmen jièshao jièshao.

Yes, would you please give an introduction?

A：您打算买什么手机，国产的还是进口的？

Nín dǎsuàn mǎi shénme shǒujī, guóchǎn de háishì jìnkǒu de?

What are you interested in? Local or imported phones?

B：我想买国产的，哪个牌子的比较好？

Wǒ xiǎng mǎi guóchǎn de, nǎ gè páizi de bǐjiào hǎo?

I would like to buy a homemade one. Which brand would you recommend?

A：您看看这款怎么样？

Nín kànkan zhè kuǎn zěnmeyàng?

What about this type?

B：这款式样不错，是什么牌子？

Zhè kuǎn shìyàng búcuò, shì shénme páizi?

The design is nice. What brand is it?

A：波导，是中国最大的手机厂家生产的。

Bōdǎo, shì Zhōngguó zuì dà de shǒujī chǎngjiā shēngchǎn de.

BIRD, made by the biggest mobile phone manufacturer in China.

B：质量怎么样？

Zhìliàng zěnmeyàng?

How about the quality?

A：质量很不错，声音很清晰，而且功能也很多，可以储存 500 个电话号码，收发短信息，还可以接收电子邮件。

Zhìliàng hěn búcuò, shēngyīn hěn qīngxī, érqiě gōngnéng yě hěn duō, kěyǐ chǔcún wǔ bǎi gè diànhuà hàomǎ, shōu fā duǎn xìnxī, hái kěyǐ jiēshōu diànzǐ yóujiàn.

Very good. The voice is clear. It has many functions. It can store up to 500 telephone numbers; receive and send short messages and receive e-mails as well.

B：价格一定很贵吧？

Jiàgé yídìng hěn guì ba?

It must be very expensive?

A：和同样功能的进口手机比，这个不算贵。

Hé tóngyàng gōngnéng de jìnkǒu shǒujī bǐ, zhè ge bú suàn guì.

It is not expensive compared with the imported brand with the same functions.

B：是吗？多少钱？

Shì ma? Duōshao qián?

Is it? How much does it cost?

A：三千多元,进口的要五千多元呢。

Sān qiān duō yuán, jìnkǒu de yào wǔ qiān duō yuán ne.

Over three thousand *Yuan*, while an imported one costs over five thousand.

B：三千多元也挺贵的呀！

Sān qiān duō yuán yě tǐng guì de ya!

Three thousand *Yuan* is expensive!

注 释
Annotation

1. 和……比   *He…bǐ*

是一种常用的表示比较的格式,常常用于句首。

It is one of the frequently used structures to express omparison. It often appears in the beginning of a sentence.

Examples:

和昨天比,今天热多了。

It is much warmer today, compared with yesterday.

和两年前比,现在出海关要快得多。

It is much faster to check out at the customs now, compared with what was two years ago.

和我们国家比,中国的学期比较长。

The Chinese semester is longer, compared with that in our country.

2. 可……了   *Kě…le*

中间插入形容词,表示程度高,多用于口语。

The structure is used to describe high degree with an inserted adjective in between. It is usually used in colloquial Chinese.

Examples:

他汉语说得可好了。   He speaks good Chinese.

她的家可漂亮了。   Her home is so beautiful.

生日晚会开得可热闹了。   The birthday party is so busy and crowded.

3. 挺……的   *Ting…de*

也常常用于口语,表示程度高,中间插入形容词或者词组。如:

It is also used in colloquial Chinese to express a high degree. An adjective or phrase can be inserted in between the structure.

Examples:

这款手机质量挺好的。

The quality of this type of mobile is pretty good.

最近几年中国经济发展挺快的。

The Chinese economy has developed pretty fast in recent

years.

这个汉字挺不容易写的。

It is pretty hard (not easy) to write this Chinese character.

练习
Exercises

1. 词语搭配：

Match the words in the two groups:

款式	号码
声音	合理
质量	短信息
储存	新颖
接收	清晰
价钱	很好
收发	电子邮件

2. 替换练习：

Substitution exercises:

(1) 和进口手机比，国产的 便宜一些。

去年夏天	今年夏天	凉快
那家饭店	这家饭店	便宜
上个学期	这个学期	长
中国	我们国家的冬天	冷

(2) 那个电影 可 有意思 了。

桂林的风景	漂亮
山上的树叶	红
现在出海关	快
我在这儿的生活	愉快

(3) 最近房地产买卖 挺 热门 的。

啤酒节办得	成功
在合资企业工作	辛苦
这个手机的声音	清晰
住高级饭店	舒服

3. 选词填空:

Fill in the following blanks with the given words:

质量　　介绍　　手机　　进口　　牌子　　一起
国产　　同意　　进步　　价格　　新颖

小王想买一个(　　),他请我跟他(　　)去商店。我问他要买什么手机,他说,要买(　　)的,因为(　　)的比较贵。我说,国产的质量不一定好,小王不(　　)。他向我(　　)说,这几年国产手机(　　)很快,不但(　　)便宜,款式(　　),而且(　　)也不错,有的(　　)已经很有名了。

生词

New Words

1. 手机	shǒujī	（名）	mobile phone
2. 牌子	páizi	（名）	brand
3. 款	kuǎn	（名）	design
款式	kuǎnshì	（名）	design pattern
4. 新颖	xīnyǐng	（形）	novel, innovative
5. 价钱	jiàqián	（名）	price
6. 合理	hélǐ	（形）	reasonable
7. 国产	guóchǎn	（名）	homemade
8. 建议	jiànyì	（动、名）	suggest, suggestion
9. 清晰	qīngxī	（形）	clear
10. 储存	chǔcún	（动）	store
11. 号码	hàomǎ	（名）	number
12. 收发	shōufā	（动、名）	receive and send
13. 电子邮件	diànzǐ yóujiàn		e-mail
14. 厂家	chǎng jiā	（名）	manufacturer
15. 功能	gōngnéng	（名）	function
16. 和……比	hé…bǐ		compared with
17. 不算	bú suàn		not so
18. 品种	pǐnzhǒng	（名）	type, kind
19. 挺……的	tǐng…de		*(pretty)+adj. (colloquial)*

南北气候差异

Weather difference between the South and the North

句型 Sentence Patterns

81. 夏天到了,天气一天比一天热。

Xiàtiān dào le, tiānqì yì tiān bǐ yì tiān rè.

It is summer, and it is hotter day by day.

82. 每年夏天我都要到海边住一个星期。

Měi nián xiàtiān wǒ dōu yào dào hǎibiān zhù yí ge xīngqī.

Every summer I spend one week living on the seaside.

83. 我很喜欢在海滩上晒太阳。

Wǒ hěn xǐhuan zài hǎitān shang shài tàiyáng.

I enjoy sunbathing on the beach.

84. 上海的冬天又湿又冷。

Shànghǎi de dōngtiān yòu shī yòu lěng.

The winter is humid and cold in Shanghai.

85. 北京的冬天虽然气温低,可是房间里很暖和。

Běijīng de dōngtiān suīrán qìwēn dī, kěshì fángjiān lǐ hěn nuǎnhuo.

Though the temperature is low in winter in Beijing, it is quite warm inside.

86. 人们经常觉得外边比房间里暖和。

Rénmen jīngcháng juéde wàibian bǐ fángjiān li nuǎnhuo.

People usually feel it is warmer outside than inside.

87. 中国南北气候差别真大！

Zhōngguó nán běi qìhòu chābié zhēn dà!

What a difference between the weather in the South and the North!

88. 北方下大雪的时候，广州还开着花。

Běifāng xià dà xuě de shíhou, Guǎngzhōu hái kāi zhe huār.

When it snows heavily in the North, plants in Guangzhou are still in bloom.

89. 我建议你寒假的时候去昆明。

Wǒ jiànyì nǐ hánjià de shíhou qù Kūnmíng.

I suggest you visit Kunming during the winter vacation.

90. 昆明四季如春。

Kūnmíng sìjìrúchūn.

It is like spring all the year round in Kunming.

课文
Text

（一）

A：夏天快到了！

Xiàtiān kuài dào le!

It will be summer soon.

B：是，天气一天比一天热。

Shì, tiānqì yì tiān bǐ yì tiān rè.

Yes, it is hotter day by day.

A：你喜欢夏天吗？

Nǐ xǐhuan xià tiān ma?

Do you like summer?

B：一年四个季节，我最喜欢的就是夏天。

Yì nián sì ge jìjié, wǒ zuì xǐhuan de jiù shì xiàtiān.

I like summer best among the four seasons.

A：我对夏天一点儿也不感兴趣，天气太热，人不舒服。

Wǒ duì xiàtiān yìdiǎnr yě bù gǎn xìngqù, tiānqì tài rè, rén bù shūfu.

I am not interested in summer at all. The weather is too hot and makes me feel uncomfortable.

B：你可以去游泳嘛！

Nǐ kěyǐ qù yóuyǒng ma!

You can go swimming.

A：我很少去游泳。

Wǒ hěn shǎo qù yóuyǒng.

I rarely go to swim.

B：为什么？那是很好的运动。

Wèi shénme? Nà shì hěn hǎo de yùndòng.

Why not? It is a good sport.

A：我知道游泳对身体有好处，可是我工作太忙，没时间游。

Wǒ zhīdao yóuyǒng duì shēntǐ yǒu hǎochu, kěshì wǒ gōngzuò tài máng, méi shíjiān yóu.

I know swimming is good for health, but I am too busy. I have no spare time for it.

B：我是一个游泳爱好者，每年夏天我都要去海边住一个星期。

Wǒ shì yí ge yóuyǒng àihàozhě, měi nián xiàtiān wǒ dōu yào qù hǎibiān zhù yí ge xīngqī.

I am a lover of swimming and I spend one week living on the seaside every summer.

A：那么你也喜欢在海滩上晒太阳吧？

Nàme nǐ yě xǐhuan zài hǎitān shang shài tàiyáng ba?

So you must enjoy sunbathing on the beach?

B：游一会儿泳,晒一会儿太阳,再游一会儿泳,是夏天
最舒服的享受。

Yóu yíhuìr yǒng,　shài yíhuìr tàiyáng,　zài yóu yíhuìr yǒng,　shì
xiàtiān zuì shūfu de xiǎngshòu.

To go to swim and take a sunbath, then swim again. That's
the best enjoyment in the summer.

（二）

A：寒假我打算去上海,那儿的气候怎么样?

Hánjià wǒ dǎsuàn qù Shànghǎi, nàr de qìhou zěnmeyàng?

I am going to Shanghai in the winter vacation.　How about
the climate there?

B：上海的冬天又湿又冷。

Shànghǎi de dōngtiān yòu shī yòu lěng.

The winter is cold and humid in Shanghai.

A：可是我听说上海的气温比北京高。

Kěshì wǒ tīngshuō Shànghǎi de qìwēn bǐ Běijīng gāo.

But I was told the temperature in Shanghai is higher than
that in Beijing.

B：北京的冬天虽然气温低,可是房间里很暖和。

Běijīng de dōngtiān suīrán qìwēn dī,　kěshì fángjiān li hěn
nuǎnhuo.

Though the temperature is low in winter in Beijing,　it is
quite warm inside.

A：上海的冬天没有暖气吗?

Shànghǎi de dōngtiān méiyǒu nuǎnqì ma?

Is heating available in winter in Shanghai?

B：很多地方没有，人们经常觉得外边比房间里暖和。

Hěn duō dìfang méiyǒu, rénmen jīngcháng juéde wàibian bǐ fángjiān li nuǎnhuo.

There is no heating system in many places. People usually feel it is warmer outside than inside.

A：中国南北气候差别真大！

Zhōngguó nán běi qìhou chābié zhēn dà.

What a difference between the weather in the South and the North!

B：是啊，北方下大雪的时候，广州还开着花儿。

Shì a, běifāng xià dà xuě de shíhou, Guǎngzhōu hái kāi zhe huār.

Yes, plants in Guangzhou are in bloom when it snows heavily in the North.

A：我最喜欢下雪了，我应该去北方看看下雪以后的风景。

Wǒ zuì xǐhuan xià xuě le, wǒ yīnggāi qù běifāng kànkan xià xuě yǐhòu de fēngjǐng.

I like snowing a lot. I should go to see the snowscape in the North.

B：我建议你寒假的时候去昆明。

Wǒ jiànyì nǐ hánjià de shíhou qù Kūnmíng.

I suggest you visit Kunming during the winter vacation.

A：昆明的气候很好吗？

Kūnmíng de qìhòu hěn hǎo ma?

Does Kunming has good climate?

B：在中国，气候最舒服的地方是昆明，那儿四季如春。

Zài Zhōngguó, qìhòu zuì shūfu de dìfang shì Kūnmíng, nàr sìjìrúchūn.

Kunming has the most comfortable climate in China. It is like spring there all the year round.

注 释
Annotation

1. 一天比一天热 *Yì tiān bǐ yì tiān rè*

"一 + 量词 + 比 + 一 + 量词(重复前一量词) + 形容词" 表示程度越来越深。

The structure "*yì + measure word + bǐ + yì + measure word + adjective*" indicates the increase of degree.

Examples:

一天比一天热。　It is hotter day by day

一年比一年好。　It becomes better year by year.

一件比一件贵。　It is getting more and more expensive piece by piece.

2. 虽然……可是…… *Suīrán…kěshì…*

"虽然"用在前一小句，表示承认某一个事实，后边与"可是,不过"等词配合，表示后边的情况不因为前边的事实而不成立。

"*Suīrán*" is used in the first clause to commit a fact. Together with conjunctive words such as "*kěshì*" or "*búguò*" that introduce the second clause, the structure indicates that the situation in the second clause remain to be true despite the fact described in the first clause.

Examples:

他虽然 70 岁了,可是身体还很好。

Though he is seventy years old, he is still in very good health.

虽然我喜欢游泳,不过我不经常游。

I like swimming, but I do not swim often.

3. 你可以去游泳嘛　　*Nǐ kěyǐ qù yóuyǒng ma*

"嘛"是语气词,表示事情应该如此,显而易见。

"*Ma*" is a particle, expressing what is said is obvious.

4. 游一会儿泳　　*Yóu yíhuir yǒng*

"游泳"、"睡觉"等动词有时可以拆开用,中间加入"一会儿","一会儿"也常用在动词和宾语之间,表示动作的时间。

Verbs like "*yóuyǒng*" (swim), "*shuì jiào*" (sleep) can be separated by insertion of "*yí huìr*" (a while). "*yí huìr*" can also be used between a verb and an object to express the length of the action.

Examples:

打一会儿网球	play tennis for a while
看一会儿电视	watch TV for a while
弹一会儿钢琴	play the piano for a while

练 习
Exercises

1. 翻译：

Translation:

(1) 春天　　夏天　　秋天　　冬天　　季节

(2) 冷　　　热　　　高　　　低　　　湿

(3) 天气　　气候　　气温

(4) 下雨　　下雪　　刮风　　阴天　　晴天

(5) 太阳　　暖和　　热天　　冷天

2. 用"一会儿"和指定词完成下列句子：

Use "yíhuìr" and the given words to complete the following sentences:

(1) 我每天下午都要＿＿＿＿＿＿＿＿。（打球）

(2) 今天太阳很好，我们到外边＿＿＿＿＿＿＿。（晒太阳）

(3) 他每天睡觉以前都喜欢＿＿＿＿＿＿＿。（看书）

(4) 咱们休息一会儿，＿＿＿＿＿＿＿。（听音乐）

3. 完成下列句子：

Complete the following sentences:

(1) 虽然我很喜欢弹钢琴，_____

(2) 他虽然只学过一年汉语，_____

(3) 今天虽然很热，_____

(4) 虽然这件衣服的花色、样子都不错，_____

4. 替换练习：

Substitution exercises:

(1) 天气一天比一天热。

生活	年	好
衣服	件	贵
检查	次	快

(2) 天气越来越热

生活	好
水果	便宜
雨	大
他	忙

生 词
New Words

1. 气候	qìhou	(名)	climate
2. 差别	chābié	(名)	difference
3. 夏天	xiàtiān	(名)	summer
4. 海边	hǎibiān	(名)	seaside
5. 晒	shài	(动)	expose something in the sunshine
6. 冬天	dōngtiān	(名)	winter
7. 湿	shī	(形)	wet, damp, humid
8. 虽然	suīrán	(连)	though
9. 气温	qìwēn	(名)	temperature
10. 觉得	juéde	(动)	feel
11. 低	dī	(形)	low
12. 暖和	nuǎnhuo	(形)	warm
13. 北方	běifāng	(名)	the North
14. 雪	xuě	(动)	snow, snowfall
15. 开花	kāihuā	(动)	(flower) bloom
16. 建议	jiànyì	(动、名)	suggest, suggestion
17. 寒假	hánjià	(名)	winter vacation
18. 四季如春	sìjìrúchūn		like spring all the year round
19. 嘛	ma	(助)	*particle used to help with the sentence mood*

20. 暖气	nuǎnqì	（名）	heating
21. 昆明	Kūnmíng		Kunming
22. 广州	Guǎngzhōu		Guangzhou
23. 享受	xiǎngshòu	（动）	enjoy, enjoyment

 **看 病**

Seeing a doctor

Sentence Patterns

91. 每年冬天我都咳嗽。

   Měi nián dōngtiān wǒ dōu késou.

   I have a cough every winter.

92. 今年比去年厉害。

   Jīnnián bǐ qùnián lìhai.

   It (the cough) is worse than it was last year.

93. 可能和抽烟有关系。

   Kěnéng hé chōu yān yǒu guānxì.

   It perhaps has something to do with smoking.

94. 这个说法不一定对。

   Zhè ge shuōfǎ bù yídìng duì.

   This opinion may not be correct.

95. 抽烟多了容易得肺癌。

   Chōu yān duō le róngyì dé fèi'ái.

   Those who smoke a lot are liable to lung cancer.

96. 我不想吃饭, 全身没劲儿。

   Wǒ bù xiǎng chī fàn, quán shēn méi jìngr.

I do not feel like eating and feel weak all over.

97. 从昨天开始的。

Cóng zuótiān kāishǐ de.

It began from yesterday?

98. 让我给你检查一下儿。

Ràng wǒ gěi nǐ jiǎnchá yíxiàr.

Let me have a check.

99. 你得的是流行性感冒。

Nǐ dé de shì liúxíngxìng gǎnmào.

You have got the flu.

100. 打打针,吃点儿药就好了。

Dǎda zhēn, chī diǎnr yào jiù hǎo le.

You would be fine after taking some medicine and injection.

课 文
Text

(一)

A：你最近一直咳嗽？

Nǐ zuìjìng yìzhí késou?

Have you been coughing recently?

B：每年冬天我都咳嗽。

Měi nián dōngtiān wǒ dōu késou.

I have a cough every winter.

A：今年比去年厉害。

Jīnnián bǐ qùnián lìhai.

It is worse than it was last year.

B：可能和感冒有关系。

Kěnéng hé gǎnmào yǒu guānxì.

It may have something to do with the flu.

A：我看和抽烟有关系。

Wǒ kàn hé chōu yān yǒu guānxì.

I think it has something to do with smoking.

B：春天,夏天,秋天我也抽烟,为什么不咳嗽?

Chūntiān, xiàtiān, qiūtiān wǒ yě chōu yān, wèi shénme bù késou?

I also smoke in spring, summer, and autumn. Why do I not cough in those seasons?

A：大夫说过,在冬天,抽烟多了就容易咳嗽。

Dàifu shuōguo, zài dōngtiān, chōu yān duō le jiù róngyì késou.

The doctor says people are liable to cough if they smoke much in winter.

B：这个说法不一定对。

Zhè ge shuōfǎ bù yídìng duì.

This opinion may not be correct.

A：《健康日报》上也是这么说的。

Jiànkāng Rìbào shang yě shì zhème shuō de.

It also says so in *Health Daily*.

B：报上还说抽烟多了容易得肺癌，你看我已经七十
多岁了，身体还这么好。

Bào shang hái shuō chōu yān duō le róngyì dé fèi'ái, nǐ kàn
wǒ yǐjing qīshí duō suì le, shēntǐ hái zhème hǎo.

It also says in the newspaper that those who smoke a lot
are liable to lung cancer. I'm in good health though I am
over seventy.

A：我建议你还是不要抽烟了，这样对身体有好处。

Wǒ jiànyì nǐ háishi bú yào chōu yān le, zhèyàng duì shēntǐ
yǒu hǎochu.

I suggest you stop smoking. It would be good for your health.

B：我已经抽了几十年了，怎么能马上停止不抽了呢？

Wǒ yǐjing chōu le jǐ shí nián le, zěnme néng mǎshàng tíngzhǐ
bùchōu le ne?

I have been smoking for decades. How can I stop smoking at
once?

(二)

（在医院看病 Seeing a doctor in the hospital）

A：你身体哪儿不舒服？

Nǐ shēntǐ nǎr bù shūfu?

What's wrong with you?

B：我头疼、发烧、不想吃饭，觉得全身没劲儿。

Wǒ tóu téng, fāshāo, bù xiǎng chī fàn, juéde quán shēn méi jìnr.

I have got headache and fever. I do not feel like eating and feel weak all over.

A：多长时间了？

Duō cháng shíjiān le?

How long have you been like this?

B：从昨天开始的。

Cóng zuótiān kāishǐ de.

It began yesterday.

A：让我给你检查一下儿。

Ràng wǒ gěi nǐ jiǎnchá yíxiàr.

Let me have a check.

B：大夫，我得的是什么病？

Dàifu, wǒ dé de shì shénme bìng?

Doctor, what illness have I got?

A：你得的是流行性感冒。

Nǐ dé de shì liúxíngxìng gǎnmào.

You've got the flu.

B：要紧吗？

Yàojǐn ma?

Is it serious?

A：不要紧，打打针，吃点儿药就好了。

Bú yàojǐn, dǎda zhēn, chī diǎnr yào jiù hǎo le.

Not so much.　You would be fine after taking some medicine and injection.

B：能不能不打针？

Néng bu néng bù dǎ zhēn?

Can it do without the injection?

A：也可以，不过好得慢一点儿。

Yě kěyǐ, búguò hǎo dé màn yìdiǎnr.

Yes, but it will take longer for you to get well.

B：请多给一点儿药。中药、西药都要一点儿。

Qǐng duō gěi yìdiǎnr yào. Zhōngyào, xīyào dōu yào yìdiǎnr.

Please give me more medicine. I also want some Chinese (herbal) medicine.

注　释

Annotation

1. 和抽烟有关系　*Hé chōu yān yǒu guānxì*

"有关系"在这里指原因，"关系"指人与人或人与事物之间的某种联系，如"这两个公司有贸易关系"。

"*Yǒu guānxì*" means the reason here. "*Guānxì*" means the certain relationship between persons or between persons and things.

Examples:

这两个公司有贸易关系。

These two companines have trade relations.

2. 让我给你检查一下　**_Ràng wǒ gěi nǐ jiǎnchá yíxiàr_**

"让"是一个使令动词。用法是"让 + 表示人的名词或代词 + 动词"。

"_Ràng_" is an imperative verb. The common structure is "_ràng + personal nouns or pronouns + verb._"

Examples:

让他看看。　　　　　Let him have a look.

让孩子们好好学习。　Let the children study hard.

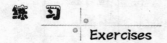

Exercises

1. 翻译：

Translation:

(1) 头痛　　咳嗽　　肚子疼　　发烧

(2) 打针　　吃药　　喝水　　　休息

(3) 不抽烟　不喝酒　不生气

(4) 和感冒有关系　　和抽烟没有关系

2. 替换练习：

Substitution exercises:

(1) A：你哪儿不舒服？ (2) A：大夫，我的病要紧吗？

    B：我头疼
.. ..
              B：不要紧，吃点儿药就好了。

> 咳嗽
> 肚子疼
> 发烧了
> 不想吃饭
> 全身没劲儿

> 休息休息
> 打打针、吃吃药
> 多喝点儿水
> 少抽点儿烟

(3) A：你怎么老咳嗽？ (4) A：大夫，我全身没劲儿

    B：可能和感冒有关系。   B：让我检查一下。

> 没有休息好
> 抽烟

> 检查检查
> 看看

3. 完成对话：

Complete the following dialogues:

(1) A：＿＿＿＿＿＿＿＿＿＿＿

    B：全身舒服。

    A：＿＿＿＿＿＿＿＿＿＿＿

    B：有一个星期了。

    A：＿＿＿＿＿＿＿＿＿＿＿

    B：我不发烧。

    A：＿＿＿＿＿＿＿＿＿＿＿

　　B：我一直没吃药。

（2）A：_____

　　B：我一直咳嗽。

　　A：_____

　　B：很厉害，夜里也咳嗽，不能睡觉。

　　A：_____

　　B：以前冬天不咳嗽。

　　A：_____

　　B：我从来不抽烟。

　　A：让我给你检查一下。

4. 选择正确答案：

Choose the correct answer:

（1）A：你怎么了？

　　B：(a) 我没劲儿全身。

　　　　(b) 我全身没劲儿。

　　　　(c) 我没全身劲儿。

（2）A：大夫，我得的是什么病？

　　B：(a) 你是得的流行性感冒。

　　　　(b) 你得的流行性感冒。

　　　　(c) 你得的是流行感冒。

（3）A：你每年冬天都咳嗽吗？

　　B：(a) 今年比去年厉害。

　　　　(b) 今年厉害比去年。

　　　　(c) 厉害今年比去年。

生 词
New Words

1. 看病	kàn bìng		see a doctor
2. 咳嗽	késou	(动)	cough
3. 厉害	lìhai	(形)	serious
4. 抽烟	chōu yān		smoke
5. 说法	shuōfa	(名)	statement
6. 容易	róngyì	(形)	easy, be liable to
7. 全	quán	(形)	whole, complete
8. 身	shēn	(名)	body
9. 劲儿	jìngr	(名)	energy
10. 让	ràng	(动)	let
11. 流行性	liúxíngxìng	(形)	epidemic
12. 感冒	gǎnmào	(动、名)	flu
13. 打针	dǎ zhēn		(medical) inject
14. 抽	chōu	(动)	suck
15. 停止	tíngzhǐ	(动)	stop, give up
16. 头疼	tóuténg		headache
17. 发烧	fāshāo	(动)	fever
18. 要紧	yàojǐn	(动)	matter
19. 大夫	dàifu	(名)	doctor
20. 健康日报	Jiànkāng Rìbào		*Health Daily*

11 宴 会
Banquet

Sentence Patterns

101. 您为我们准备了这个宴会,十分感谢!

Nín wèi wǒmen zhǔnbèi le zhè ge yànhuì, shífēn gǎnxiè!

Thank you very much for the banquet for us.

102. 哪里,请坐!

Nǎlǐ, qǐng zuò!

It is my pleasure. Take a seat, please.

103. 北京有很多地方可以参观、游览。

Běijīng yǒu hěn duō dìfang kěyǐ cānguān, yóulǎn.

There are a lot of places in Beijing for you to visit.

104. 我们边吃边谈。

Wǒmen biān chī biān tán.

Let's talk during the meal.

105. 为我们的友好合作干杯!

Wèi wǒmen de yǒuhǎo hézuò gānbēi!

Let's toast to our friendship and cooperation.

106. 买卖越做越好。

Mǎimai yuè zuò yuè hǎo.

The business is getting better.

107. 请大家入席。

Qǐng dàjiā rù xí.

Please take your seat.

108. 茅台酒不但味道很香，而且喝了很舒服。

Máotáijiǔ búdàn wèidao hěn xiāng, érqiě hē le hěn shūfu.

Maotai not only smells fragrant, but also tastes good.

109. 谢谢您的热情招待。

Xièxie nín de rèqíng zhāodài.

Thank you very much for your hospitality.

110. 希望我们以后继续合作。

Xīwàng wǒmen yǐhòu jìxù hézuò.

Wish we could further our cooperation in the future.

课文
Text

(一)

A: 马丁先生，欢迎您来中国做买卖。

Mǎdīng xiānsheng, huānyíng nín lái Zhōngguó zuò mǎimai.

Mr. Martin, welcome to China to do business.

B: 见到您很高兴。您为我们准备了这个宴会，十分感谢！

Jiàndào nín hěn gāoxìng. Nín wèi wǒmen zhǔnbèi le zhè ge yànhuì, shífēn gǎnxiè!

It is very nice to meet you. Thank you very much for the banquet for us.

A：哪里，哪里！请坐。您是第一次来中国吗？

Nǎlǐ, nǎlǐ! Qǐng zuò. Nín shì dìyī cì lái Zhōngguó ma?

It is my pleasure. Take a seat, please. Is this your first visit to China?

B：不，是第二次。上一次是去广州参加商品交易会。

Bù, shì dì'èr cì. Shàng yí cì shì qù Guǎngzhōu cānjiā shāngpǐn jiāoyìhuì.

No, it is the second time. My last visit was to the trade fair at Guangzhou.

A：那么这是第一次来北京？

Nàme zhè shì dìyī cì lái Běijīng?

So this is your first visit to Beijing.

B：对，是第一次。

Duì, shì dìyī cì.

Yes, the first time.

A：北京很大，有很多地方可以参观、游览。

Běijīng hěn dà, yǒu hěn duō dìfang kěyǐ cānguān, yóulǎn.

Beijing is such a big city that there are a lot of places for you to visit.

B：我打算在会议结束以后，再在北京住几天。

Wǒ dǎsuàn zài huìyì jiéshù yǐhòu, zài zài Běijīng zhù jǐ tiān.

I plan to stay in Beijing for a few more days after the meeting.

A：菜来了，我们边吃边谈。

Cài lái le, wǒmen biān chī biān tán.

The dish is served. Let us talk during the meal.

B：为王经理的健康干杯！

Wèi Wáng jīnglǐ de jiànkāng gān bēi!

Cheers!　For the health of Manager Wang.

A：为我们的合作干杯！

Wèi wǒmen de hézuò gān bēi!

Let us toast to our cooperation.

B：祝大家一切顺利，买卖越做越好。

Zhù dàjiā yíqiè shùnlì, mǎimai yuè zuò yuè hǎo.

Wish all the best to you all and even better business.

（二）

A：请大家入席。

Qǐng dàjiā rù xí.

Take your seat, please!

B：谢谢！我们这次来给贵公司添了不少麻烦。

Xièxie!　Wǒmen zhè cì lái gěi guì gōngsī tiān le bùshǎo máfan.

Thank you for your help and support.

A：没什么。为我们的友好合作干杯！

Méi shénme. Wèi wǒmen de yǒuhǎo hézuò gān bēi!

It is our pleasure.　Let's toast to our friendship and
cooperation.

B：干杯！

Gān bēi!

Cheers!

A：茅台是中国很有名的酒，您觉得怎么样？

Máotái shì Zhōngguó hěn yǒumíng de jiǔ, nín juéde zěnmeyàng?

Maotai is a well-known brand of spirits in China. What do you think of it?

B：很不错。不但味道很香，而且喝了很舒服。

Hěn búcuò, búdàn wèidao hěn xiāng, érqiě hē le hěn shūfu.

Very nice. It not only smells fragrant, but also tastes good.

A：再来一杯吧！

Zài lái yì bēi ba!

One more then!

B：对不起，我的酒量不大，请给我一杯矿泉水吧。

Duìbuqǐ, wǒ de jiǔliàng bú dà, qǐng gěi wǒ yì bēi kuàngquánshuǐ ba.

Sorry, I cannot drink much, please give me a glass of mineral water.

A：请多吃菜。这是一家四川饭店,菜都有一点儿辣。

　　Qǐng duō chī cài. Zhè shì yì jiā Sìchuān fàndiàn, cài dōu yǒu yìdiǎnr là.

　　Help yourself with more dishes. This restaurant is of Sichuan flavor and the dishes are a little spicy.

B：菜都很好。谢谢您的热情招待。

　　Cài dōu hěn hǎo. Xièxie nín de rèqíng zhāodài.

　　The food is very nice.　Thank you very much for your hospitality.

A：不必这么客气。

　　Búbì zhème kèqi.

　　You are welcome.

B：希望我们以后能够继续合作。

　　Xīwàng wǒmen yǐhòu nénggòu jìxù hézuò.

　　Wish we could further our cooperation in the future.

A：为我们的友谊干杯!

　　Wèi wǒmen de yǒuyì gānbēi!

　　Let's toast to our friendship.

注释
Annotation

1. 为　　Wèi

"为"是一个介词,后面加上名词或代词,用在动词前表示动作的对象、目的。

"Wèi" is a preposition. When it is followed by a noun or a

pronoun and used before a verb, it introduces the object and target of an action.

Examples:

为我们检查身体　　to make physical examination for us
为孩子买衣服　　　to buy clothes for the children
为友谊干杯　　　　to toast to the friendship

2. 哪里　　　*Nǎ li*

"哪里"在这里是对别人感谢语的回答,表示不必客气。

"*Nǎ li*" is a polite reply of gratitude here (Chinese way of politeness to answer "thank you"), literally meaning no need to be so courteous, similar to "Don't mention it."

3. 边吃边谈　　*Biān chī biān tán*

意思同"一边吃一边谈"。其他如:

It means eating and talking go on at the same time.

Examples:

边走边说　　talking while walking
边吃边看　　reading/watching while eating

4. 越做越好　　*Yuè zuò yuè hǎo*

这是"越 A 越 B"式,表示随着 A 这种动作的继续,B 在程度上不断提高。

"*Yuè* + A *yuè* + B" is used to indicate that with the continuation of action A, the degree of B keeps increasing.

Examples:

　　(我)越走越累　　Getting more and more tired (B) as I
　　　　　　　　　　keep walking (A).

　　(雨)越下越大　　It keeps raining harder.

5. 不但……而且……　　　***Bú dàn…érqiě***

这两个连词常配合使用。

These two conjunctions are often used in pairs.

Examples:

　　他不但会说汉语,而且会说日语。

　　He speaks not only Chinese but also Japanese.

　　这件夹克不但式样好,而且价格便宜。

　　This jacket is not only nice in design but also of cheap
　　price.

练 习
　　Exercises

1. 选词填空:

Fill in the following blanks with the given words:

干杯　　买火车票　　弹钢琴

写申请书　　找投资项目

(1) 他经常在晚会上为大家(　　　　)。

(2) 这位外商正在为他的公司(　　　　)。

(3) 为我们的友谊(　　　　)。

(4) 我明天要去上海,请为我(　　　　)。

(5) 她想去中国留学,你能为她( )吗?

2. 翻译并造句:

Translate and make sentence:

(1) 边走边谈
边听边写
边吃边喝

(2) 不但大,而且好
不但去过,而且去过三次

(3) 十分高兴
十分满意
十分愉快
十分友好

3. 替换练习:

Substitution exercises:

(1) 风越<u>刮</u>越<u>大</u>。

他	吃	胖
雨	下	大
我	走	累

(2) <u>我们</u>继续<u>上课</u>。

他们	讨论
你们	吃吧
我们	看电视

生词
New Words

1. 为	wèi	（介）	for
2. 宴会	yànhuì	（名）	banquet
3. 十分	shífēn	（副）	quite, very
4. 游览	yóulǎn	（动）	visit, travel
5. 友好	yǒuhǎo	（形）	friendly
6. 干杯	gān bēi		toast, cheers
7. 入席	rù xí		take one's seat
8. 不但	búdàn	（连）	not only
9. 味道	wèidào	（名）	taste
10. 而且	érqiě	（连）	but also
11. 招待	zhāodài	（动）	hospitality
12. 继续	jìxù	（动）	continue
13. 酒量	jiǔliàng	（名）	drinking capacity for alcohol
14. 会议	huìyì	（名）	meeting, conference
15. 添	tiān	（动）	add
16. 辣	là	（形）	spicy, hot (taste)
17. 不必	búbì	（副）	no necessity
18. 能够	nénggòu	（动）	can, be able to
19. 友谊	yǒuyì	（名）	friendship
20. 茅台酒	Máotái jiǔ		Maotai wine

再便宜一点儿
Bargaining

Sentence Patterns

111. 哪种衬衣是今年的新款?

Nǎ zhǒng chènyī shì jīnnián de xīnkuǎn?

Which shirt is of the new design this year?

112. 这件衬衣是丝绸的吧?

Zhè jiàn chènyī shì sīchóu de ba?

Is this shirt silken?

113. 款式和质量都不错,就是价格太贵了。

Kuǎnshì hé zhìliàng dōu búcuò, jiùshì jiàgé tài guì le.

The design and the quality are nice, but the price is too high.

114. 那件衬衣的面料是法国进口的。

Nà jiàn chènyī de miànliào shì Fǎguó jìnkǒu de.

The material of that shirt is imported from France.

115. 打九折吧!

Dǎ jiǔ zhé ba!

We'll give you a discount of 10%.

116. 再便宜一点儿，八五折吧。

Zài piányi yìdiǎnr, bāwǔ zhé ba.

More discount, how about 15 percent discount?

117. 这是最后的价格，不能再低了。

Zhèshì zuìhòu de jiàgé, bùnéng zài dī le.

This is the final price and cannot be lower.

118. 听说现在飞机票打折，挺便宜的。

Tīngshuō xiànzài fēijīpiào dǎ zhé, tǐng piányi de.

I was told the air tickets are on discount now, quite cheap.

119. 如果打六折的话，就跟火车票差不多了。

Rúguǒ dǎ liù zhé de huà, jiù gēn huǒchēpiào chàbuduō le.

The price is very close to the train's if a 40 percent discount is offered.

120. 现在的服务比以前好多了。

Xiànzài de fúwù bǐ yǐqián hǎo duō le.

The services are much better than before.

课 文
Text

(一)

(在女士服装店 Price bargaining in a lady's dress store)

A：小姐,您看衬衣吗?

　　Xiǎojiě, nín kàn chènyī ma?

　　Are you looking for shirts, Miss?

B：是啊,哪种衬衣是今年的新款?

　　Shì a, nǎ zhǒng chènyī shì jīnnián de xīnkuǎn?

　　Yes, which shirt is of the new design this year?

A：您看看这几种,都是今年的新款。

　　Nín kànkan zhè jǐzhǒng, dōushì jīnián de xīnkuǎn.

　　These pieces here are all of new patterns this year.

B：这件是丝绸的吧?

　　Zhè jiàn shì sīchóu de ba?

　　Is this piece silken?

A：对,是丝绸的,还满意吧?

　　Duì, shì sīchóu de, hái mǎnyì ba?

　　Yes, it is made of silk. Do you like it?

B：款式和质量都不错,就是价格太贵了。

　　Kuǎnshì hé zhìliàng dōu búcuò, jiùshì jiàgé tài guì le.

　　Both the design and the quality are nice,　but the price is too high.

A：这是新款,而且颜色很特别,不算贵。

Zhèshì xīnkuǎn, érqiě yánsè hěn tèbié, búsuàn guì.

This piece is of new design with a special color,   not expen

sive, either.

B：那件呢? 也挺贵的。

Nà jiàn ne? Yě tǐng guì de.

How about that piece? Expensive, too.

A：那件的面料是法国进口的,所以比较贵。

Nà jiàn de miànliào shì Fǎguó jìnkǒu de, suǒyǐ bǐjiào guì.

The material of that piece is imported from France. That's

why it is more expensive.

B：能不能再便宜一点儿?

Néng bù néng zài piányi yìdiǎnr?

Can you give me a discount?

A：你买多少? 如果你买的多,价格还可以再商量。

Nǐ mǎi duōshao?   Rúguǒ ní mǎi de duō,   jiàgé hái kěyǐ shāngliang.

How many pieces do you want?   The price can be negotiated

if you want more pieces.

B：如果你便宜一点儿,我就一样买一件。

Rúguǒ nǐ piányi yìdiǎnr, wǒ jiù yíyàng mǎi yíjiàn.

If you sell at a cheaper price,   I will buy one for each of

these two designs.

A：好,打九折吧!

Hǎo, da jiǔ zhé ba!

O. K. We'll give you a discount of 10 percent.

B：再便宜一点儿，八五折吧！

Zài piányi yìdiǎnr, bāwǔ zhé ba!

More discount, how about 15 percent discount?

A：对不起，这是最后的价格，不能再低了。

Duìbuqǐ, zhè shì zuì hòu de jiàgé, bù néng zài dī le.

I am sorry. I'm afraid that this is the final price and cannot be lower.

(二)

（讨论假期旅行 Discussing about holiday travelling）

A：小王，放假你打算去哪儿玩儿？

Xiǎowáng, fàngjià nǐ dǎsuàn qù nǎr wánr?

Xiao Wang, where do you plan to travel in the holiday?

B：我想去海边游泳。你呢？

Wǒ xiǎng qù hǎibiān yóuyǒng. Nǐ ne?

I want to go to the seaside for swimming. How about you?

A：我也打算去海边，咱们一起去吧。

Wǒ yě dǎsuàn qù hǎibiān, zánmen yìqǐ qù ba.

I plan to the seaside, too. Let's go together.

B：好啊，坐火车还是坐飞机？

Hǎo ā, zuò huǒchē háishì zuò fēijī?

O.K. Shall we go by train or plane?

A：飞机票太贵了，坐火车吧。

Fēijīpiào tài guì le, zuò huǒchē ba.

The air ticket is too expensive, so let's take the train.

B：听说现在飞机票打折，挺便宜的。

Tīngshuō xiànzài fēijīpiào dǎ zhé, tǐng piányi de.

I was told that the air tickets are on discount, quite cheap now.

A：打几折？

Dǎ jǐ zhé?

What is the discount?

B：好像可以打六折。

Hǎoxiàng kěyǐ dǎ liù zhé.

The discount seems to be 40 percent.

A：如果打六折的话，就跟火车票差不多了。

Rúguǒ dǎ liù zhé de huà, jiù gēn huǒchēpiào chàbuduō le.

The price is very close to the trains's if a 40 percent discount is offered.

B：是啊，而且还节省时间。

Shì ā, érqiě hái jiéshěng shíjiān.

Yes, and it is also time-saving.

A：好，咱们赶快去订票吧。

Hǎo, zánmen gǎnkuài qù dìng piào ba.

So let's hurry up to book the tickets.

B：你要去哪儿？

Nǐ yào qù nǎr?

Where are you going?

A：去订票处啊。

Qù dìngpiàochù ā.

To the booking office.

B：不用，电话订票就行了。

Búyòng, diànhuà dìng piào jiù xíng le.

No necessity. It can be done by the telephone.

A：是吗，现在的服务比以前好多了。

Shìma, xiànzài de fúwù bǐ yǐqián hǎo duō le.

Is it? The service is much better than before.

注 释
Annotation

1. 就是 *Jiùshì*

口语里常用，"只是、仅仅是"的意思。

It is often used in colloquial Chinese, meaning "just, only".

2. 便宜一点儿 *Piányi yìdiǎnr*

"一点儿"，表示数量少，用在形容词后边，表示程度。如：

"*Yìdiǎnr*" indicates small amount. It is used after adjectives to show the degree. For instance,

Examples:

我希望喝淡一点儿的咖啡。

I want some light coffee.

这个菜再辣一点儿就好了。

This dish will be perfect if it is a little spicier.

3. 一样买一件 *Yíyàng mǎi yíjiàn*

意思是"每一种买一件"。

123

It means buying one piece for each different design.

Examples:

A: 你喝白酒还是喝葡萄酒?

Would you like some liquor or wine?

B: 一样喝一杯。

One glass for each kind.

4. 跟……差不多　　　*Gēn…chàbuduō*

一种常用的表示比较的格式,也说成"跟……一样"。

This structure is often used to indicate comparison of similarity. Another way of expression is "*gēn…yíyàng*".

5. "A 比 B + 形容词 + 多了"

"A *bǐ* B + adjective + *duō le*"

也是一种常用的表示比较的格式,"多"放在形容词后,表示相距的程度大。A 和 B 可以是人,也可以是地方或者事物。如:

It is another way of showing comparison of difference. "*Duō*" is placed after an adjective to show the degree of the difference. A and B can be persons, places, things etc.

Examples:

他比我高多了。

He is much taller than I am.

北京比广州冷多了。

It is much colder in Beijing than that in Guangzhou.

这种手机的质量比那种好多了。

The quality of this mobile phone is much better than that type.

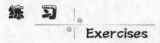

Exercises

1. 选词填空：

Fill in the following blanks with the given words:

　　热情　　容易　　暖和　　随便　　便宜

(1) 飞机票太贵了,再(　　)一点儿就好了。

(2) 今天比昨天(　　)一点儿。

(3) 大家别客气,(　　)一点儿,想吃什么自己拿。

(4) 我觉得学日语比学汉语(　　)一点儿。

(5) 饭店的服务应该再(　　)一点儿。

2. 替换练习：

Substitution exercises:

(1) 哥哥 比 弟弟胖 多了。

姐姐	妹妹	漂亮
夏天	冬天	舒服
坐火车	坐飞机	便宜
他的酒量	我的	大
进口的	国产的	贵

(2) 这件衬衣的价格 跟 那件 差不多。

我们国家的气候	这儿的
四川菜的味道	那家饭店的
国产手机的质量	进口的
这个牌子的款式	那个牌子的

3. 用指定词语完成对话：

Complete the dialogues with the given words:

(1) A：小姐，您买衬衣吗？

　　B：＿＿＿＿＿＿＿＿＿＿＿＿？（新款）

　　A：这几种都是新款，您看看吧。

　　B：＿＿＿＿＿＿＿＿＿＿＿＿？（丝绸）

　　A：对，是丝绸的，颜色也不错。

　　B：＿＿＿＿＿＿＿＿＿＿＿＿。（就是）

　　A：和进口面料比，不算贵。

　　B：＿＿＿＿＿＿＿＿＿＿＿＿？（一点儿）

　　A：您买多少？您买的多，可以打折。

　　B：＿＿＿＿＿＿＿＿＿＿＿＿？（几）

　　A：可以打八折。

　　B：打八折，好，我一样买一件。

(2) A：咱们坐火车还是坐飞机？

　　B：＿＿＿＿＿＿＿＿＿＿＿＿。（节省时间）

　　A：可是飞机票比较贵。

　　B：＿＿＿＿＿＿＿＿＿＿＿＿。（听说）

　　A：打几折？

B：_____。（七折、差不多）

A：那咱们赶快去订票吧。

B：_____。（电话）

A：电话也能订票？

B：是啊，_____。（服务、比以前）

生词
New Words

1. 便宜	piányi	（形）	cheap
2. 一点儿	yìdiǎnr		a little
3. 衬衣	chènyī	（名）	shirt
4. 丝绸	sīchóu	（名）	silk
5. 面料	miànliào	（名）	(dress) material
6. 降低	jiàngdī	（动）	reduce
7. 百分之	bǎifēnzhī		percent
8. 折	zhé	（名）	discount
打折	dǎ zhé		
9. 跟……	gēn…		almost thesame
差不多	chàbuduō		as...
10. 满意	mǎnyì	（形）	be satisfied with, satisfactory
11. 特别	tèbié	（形）	special
12. 商量	shāngliang	（动）	discuss, negotiate
13. 好像	hǎoxiàng	（动）	seem

127

14. 节省	jiéshěng	（动）	save
15. 赶快	gǎnkuài	（副）	hurry
16. 订票	dìng piào		book a ticket
订票处	dìngpiàochù		ticket office
17. 不用	búyòng	（副）	no need, no use
18. 行	xíng	（动）	ok
19. 以前	yǐqián	（名）	(time) before

看广告
Watching TV advertisements

Sentence Patterns

121. 看电视是我的爱好。

Kàn diànshì shì wǒ de àihào.

Watching TV is my hobby.

122. 广告节目是挺有意思的。

Guǎnggào jiémù shì tǐng yǒu yìsi de.

TV advertisements are pretty interesting.

123. 形式越来越活泼。

Xíngshì yuèláiyuè huópō.

The shows are getting more and more lively.

124. 不但商品信息快，而且能了解中国的经济政策。

Búdàn shāngpǐn xìnxī kuài, érqiě néng liǎojiě Zhōngguó de jīngjì zhèngcè.

Not only the commodity information is fast, but also the Chinese economic policies can be known.

125. 现在比以前开放多了。

Xiànzài bǐ yǐqián kāifàng duō le.

It is more open now than before.

126. "经济信息"节目也批评中国经济中的问题。

"Jīngjì Xìnxī" jiémù yě pīpíng Zhōngguó jīngjì zhōng de wèntí.

The program of "Economic Information" also criticizes problems of Chinese economy.

127. 只有这样，才能进步得快。

Zhǐyǒu zhèyàng, cái néng jìnbù de kuài.

Improvements can only be made fast in this way.

128. 你说的是哪个节目？

Nǐ shuōde shì nǎ gè jiémù?

Which program are you talking about?

129. 我看的就是这个节目。

Wǒ kànde jiùshì zhè gè jiémù.

That's the program I watched.

130. 电视节目报说，星期六晚上有古典音乐会的转播。

Diànshì jiémù bào shuō, xīngqīliù wǎnshang yǒu gǔdiǎn yīnyuèhuì de zhuǎnbō.

A concert of classical music will be televised on Saturday evening, according to the TV program newspaper.

课 文
Text

(一)

(两个中国人在电视机前谈话
Two Chinese are chatting before the TV)

A：你经常看电视吗？

　　Nǐ jīngcháng kàn diànshì ma?

　　Do you often watch TV?

B：不经常看，周末的晚上才看。你呢？

　　Bù jīngcháng kàn, zhōumò de wǎnshang cái kàn. Nǐ ne?

　　Not too often,　only at night on the weekend.　How about you?

A：我天天都看。看电视是我的爱好。

　　Wǒ tiāntiān dōu kàn. Kàn diànshì shì wǒ de àihào.

　　I watch TV every day. Watching TV is my hobby.

B：你最喜欢看什么节目？

Nǐ zuì xǐhuan kàn shénme jiémù?

What is your favorite program?

A：广告和"经济信息"。

Guǎnggào hé "Jīngjì Xìnxī".

TV advertisement and "Economic Information".

B：广告节目是挺有意思的，形式越来越活泼。

Guǎnggào jiémù shì tǐng yǒu yìsi de, xíngshì yuèláiyuè huópō.

Advertisements are pretty interesting. The shows are getting more and more lively.

A：最主要的是信息快，有什么新商品，你马上就知道了。

Zuì zhǔyào de shì xìnxī kuài, yǒu shénme xīn shāngpǐn, nǐ mǎshàng jiù zhīdao le.

And the main advantage is the fast transmission of information. You would immediately know about any new commodity once it comes out.

B："经济信息"的内容怎么样？

"Jīngjì Xìnxī" de nèiróng zěnmeyàng?

How about the "Economic Information"?

A：也很好，不但商品信息快，而且能了解中国的经济政策。

Yě hěn hǎo, búdàn shāngpǐn xìnxī kuài, érqiě néng liǎojiě Zhōngguó de jīngjì zhèngcè.

Also very good. Not only the commodity information is fast,

but also the Chinese economic policies can be known.

B：中国最近几年经济发展很快。很多外商来投资。现在比以前开放多了。

Zhōngguó zuìjìn jǐ nián jīngjì fāzhǎn hěn kuài. Hěn duō wàishāng lái tóu zī. Xiànzài bǐ yǐqián kāifàng duō le.

The Chinese economy has been developing very fast in recent years. Many foreign businessmen come to make investment. It is more open than before.

A："经济信息"节目也批评中国经济中的问题，比如质量问题。

"Jīngjì Xìnxī" jiémù yě pīpíng Zhōngguó jīngjì zhōng de wèntí, bǐrú zhìliàng wèntí.

The program of "Economic Information" also criticizes problems of Chinese economy, for instance, the quality of products.

B：这很好，只有这样，才能进步得快!

Zhè hěn hǎo, zhǐyǒu zhèyàng, cái néng jìnbù de kuài!

This is very good. Only in this way can improvements be made fast.

（二）

（谈论电视节目 Discussion of TV Program）

A：昨天晚上你看电视了吗?

Zuótiān wǎnshang nǐ kàn diànshì le ma?

Did you watch TV yesterday evening?

B：看了，你说的是哪个节目？

Kànle, nǐ shuō de shì nǎ gè jiémù?

Yes, I did. Which program are you talking about?

A：中央电视台的中国歌曲比赛。

Zhōngyāng diànshì tái de Zhōngguó gēqǔ bǐsài.

The Contest of Chinese Songs on Chinese Central Television (CCTV).

B：真巧，我看的就是这个节目。

Zhēn qiǎo, wǒ kànde jiùshì zhè gè jiémù.

What a coincidence! That's the program I watched.

A：你是从头开始看的吗？

Nǐ shì cóngtóu kāishǐ kàn de ma?

Did you watch from the very beginning?

B：不是，我先看了一会儿体育节目，后来才看歌曲比赛的。

Búshì, wǒ xiān kàn le yíhuìr tǐyù jiémù, hòulái cái kàn gēqǔ bǐsài de.

No, I watched some sports program before turning to the song contest.

A：我从头看到尾，歌星们唱得真好。

Wǒ cóng tóu kàndào wěi, gēxīng men chàng de zhēn hǎo.

I watched it from the very beginning to the very end. The star singers made very good performances.

B：你是不是也喜欢唱歌？

Nǐ shìbúshì yě xǐhuan chànggē?

You also like singing, don't you?

A：很喜欢，特别是流行歌曲。

Hěn xǐhuān, tèbié shì liúxíng gēqǔ.

I like it very much, especially the popular songs.

B：我不怎么喜欢流行歌曲，我喜欢古典音乐。

Wǒ bù zěnme xǐhuān liúxíng gēqū, wǒ xǐhuān gǔdiǎn yīnyuè.

I do not like popular songs that much. I like classical music.

A：电视节目报说，这个星期六晚上有古典音乐会的转播，你可以看。

Diànshì jiémù bào shuō, zhè ge xīngqīliù wǎnshang yǒu gǔdiǎn yīnyuè huì de zhuǎnbō, nǐ kěyǐ kàn.

A concert of classical music will be televised this Saturday evening according to the TV program newspaper.

B：谢谢，在哪个台？

Xièxie, zài nǎ ge tái?

Thank you. Which channel?

A：好像是北京台。

Hǎoxiàng shì Běijīng tái.

It seems to be Beijing TV Station channel.

B：好，我一定看。

Hǎo, wǒ yídìng kàn.

OK, I will watch it.

注 释

Annotation

1. 中国经济中　　*Zhōngguó jīngjì zhōng*

"名词 + 中",意思是在名词所表示的方面。

"Noun + *zhōng*" indicates what the noun refers to.

2. 只有……才……　　*Zhǐyǒu…cái*

"只有"表示惟一的条件,后面一定用"才"配合。

"*Zhǐyǒu*" expresses the only condition, "*cái*" must be used in the clause followed.

Examples:

只有你去才行。

Only if you go (can it work).

只有下个星期六才有时间

to have time only on next Saturday

3. 先……后来……　　*Xiān…hòu lái*

表示一先一后做的两件事,注意要用于已经发生的事情。

It expresses two things done in time order. It should be noticed that this struc ture should be used to describe things happened in the past.

Examples:

昨天晚上我先看一会儿电视,后来又去了朋友家。

Last night I watched TV for a while, then I went to visit a friend.

她们在商店里先看了看服装，后来去买了一个蛋糕。

They went to a store for some dresses before buying a cake.

4. 不怎么…… *Bù zěnme*…

用于口语,意思是"不太……"。

It is used in colloquial Chinese to mean "*bú tài*……"(not too, not so).

Examples:

我不怎么喜欢喝酒。

I do not like drinking alcohol that much.

这个消息不怎么可靠。

This news is not so reliable.

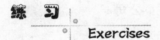
Exercises

1. 用"只有……才……"把下列词语组成句子:

Make the following phrases into sentence with the structure of "*zhǐyǒu…cái…*":

(1) 星期六　　有时间　　　去你家

(2) 多锻炼　　身体　　　　健康

(3) 海边　　　气候　　　　温和

(4) 少抽烟　　不

2. 用"不怎么"回答问题：

Use "*bù zěnme*" to answer the following questions:

(1) 你喜欢听流行音乐吗？

(2) 这家商店的东西贵吗？

(3) 在合资企业工作辛苦吗？

(4) 他的中文水平怎么样？

(5) 假期你休息得怎么样？

3. 把下列词连成句子：

Make sentence with the following words:

(1) 节目　　广告　　越来越　　最近
　　形式　　的　　　活泼

(2) 电视　　能够　　了解　　　看
　　政策　　经济　　中国

(3) 批评了　问题　　报纸上　　公司
　　的　　　这个　　质量

(4) 商品　　日本　　卖　　　　在中国
　　很多　　商店　　电器

4. 选词填空：

Fill in the following blanks with the given words:

流行　　广告　　节目　　了解　　电视　　活泼
经济　　有意思　音乐　　商品　　比赛　　政策

　　我很喜欢看（　　），特别是（　　）节目，形式越来
越（　　）。除了广告（　　）我也喜欢看（　　）信息节目
和（　　）节目。经济信息节目挺（　　）的，不但能了解

（　　）信息，而且能（　　　）中国的经济（　　　）。我很喜
欢唱歌，特别喜欢（　　　）歌曲，所以我常常看电视台的流
行歌曲（　　）。

生 词

New Words

1. 广告	guǎnggào	（名）	advertisement
2. 节目	jiémù	（名）	program
3. 形式	xíngshì	（名）	form
4. 活泼	huópo	（形）	live, lively
5. 信息	xìnxī	（名）	information
6. 政策	zhèngcè	（名）	policy
7. 开放	kāifàng	（动）	open
8. 批评	pīpíng	（动）	criticize
9. 只有…… 才……	zhǐyǒu…cái…		only if...
10. 古典	gǔdiǎn	（形）	classical
11. 音乐会	yīnyuèhuì	（名）	concert
12. 转播	zhuǎnbō	（动）	televise
13. 内容	nèiróng	（名）	content
14. 中央电视台	Zhōngyāng Diànshìtái	（副）	CCTV
15. 歌曲	gēqǔ	（名）	song
16. 比赛	bǐsài	（动、名）	contest

17. 真巧	zhēn qiǎo		coincidental
18. 从头	cóng tóu		from the beginning
从头到尾	cóng tóu dào wěi		from the beginning to the end
19. 体育	tǐyù	(名)	sports
20. 歌星	gēxīng	(名)	singing star
21. 流行	liúxíng	(形)	popular

14 参观博览会
Visiting the Fair

Sentence Patterns

131. 法国要办国际博览会。

Fǎguó yào bàn guójì bólǎnhuì.

France will host the International Fair.

132. 中国有一百多种商品参展。

Zhōngguó yǒu yìbǎi duō zhǒng shāngpǐn cānzhǎn.

China will exhibit over one hundred kinds of commodities.

133. 主要展品是纺织品。

Zhǔyào zhǎnpǐn shì fǎngzhīpǐn.

The main exhibits are textiles.

134. 出口产品的种类越来越多了。

Chūkǒu chǎnpǐn de zhǒnglèi yuèláiyuè duō le.

The variety of export products is increasing.

135. 这是我的名片。

Zhèshì wǒ de míngpiàn.

This is my card.

136. 欢迎您参观我们的展品。

Huānyíng nín cānguān wǒmen de zhǎnpǐn.

Welcome to our exhibition.

137. 我对你们的毛衣很感兴趣。

Wǒ duì nǐmen de máoyī hěn gǎn xìngqù.

I am interested in your sweaters.

138. 在这届博览会上，我们的毛衣很受欢迎。

Zài zhè jiè bólǎnhuì shang, wǒmen de máoyī hěn shòu huānyíng.

Our sweaters are very popular in this fair.

139. 我们打算订购一批。

Wǒmen dǎsuàn dìnggòu yìpī.

We intend to place an order.

140. 我还要和我的老板讨论。

Wǒ hái yào hé wǒ de lǎobǎn tǎolùn.

I still have to discuss with my boss.

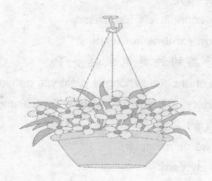

课 文
Text

（一）

（机场谈话 A conversation at the airport.）

A：马丁先生，您好！

Mǎdīng xiānsheng, nín hǎo!

How are you, Mr. Martin?

B：您好！您要去哪儿？

Nín hǎo! Nín yào qù nǎr?

Hi, where are you going?

A：我要去法国。

Wǒ yào qù Fǎguó.

I am going to France.

B：最近有什么新买卖？

Zuìjìn yǒu shénme xīn mǎimai?

Is there any new business recently?

A：法国国际展览中心要办第××届国际博览会。

Fǎguó Guójì Zhǎnlǎn Zhōngxīn yào bàn dì × × jiè Guójì bólǎnhuì.

The × × th International Fair will be held at French International Exhibition Center.

B：你们公司要去参加博览会吗？

Nǐmen gōngsī yào qù cānjiā bólǎnhuì ma?

Will your company participate in the fair?

A：是的，我们有一百多种商品参展。

Shì de, wǒmen yǒu yìbǎi duō zhǒng shāngpǐn cānzhǎn.

Yes, we will exhibit over one hundred kinds of commodities.

B：主要展品是什么？

Zhǔyào zhǎnpǐn shì shénme?

What are the main exhibits?

A：主要展品是纺织品，也有电器和农业产品。

Zhǔyào zhǎnpǐn shì fǎngzhīpǐn, yě yǒu diànqì hé nóngyè chǎnpǐn.

The main exhibits are textiles, and others are electronics and agricultural products.

B：你们公司出口产品的种类越来越多了。

Nǐmen gōngsī chūkǒu chǎnpǐn de zhǒnglèi yuèláiyuè duō le.

The variety of your company's export products is increasing.

A：我们不但出口种类多了，进口种类也多了。

Wǒmen búdàn chūkǒu zhǒnglèi duō le, jìnkǒu zhǒnglèi yě duō le.

We have increased the variety of not only our exports but also the imports.

B：中国的经济发展真快！听说到中国投资的外商也越来越多。

Zhōngguó de jīngjì fāzhǎn zhēn kuài! Tīngshuō dào Zhōngguó tóuzī de wàishāng yě yuèláiyuè duō.

Chinese economy has developed so fast. I was told there

are more and more foreign investment into China.

A：是的，欢迎您也来中国投资！

Shì de, huānyíng nín yě lái Zhōngguó tóuzī!

Yes, you are also welcome to make investment in China.

（二）

（参观北京国际博览会

Visiting the Beijing International Fair）

A：您好，我是美国公司的。我叫马丁。这是我的名
片。

Nín hǎo, wǒ shì Měiguó gōngsī de. Wǒ jiào Mǎdīng. Zhè shì
wǒ de míngpiàn.

How do you do? I am Martin, from an American company.
This is my card.

B：谢谢，欢迎您参观我们的展品。

Xièxie, huānyíng nín cānguān wǒmen dè zhǎnpǐn.

Thank you. Welcome to our exhibition.

A：我对你们的毛衣很感兴趣。

Wǒ duì nǐmen de máoyī hěn gǎn xìngqù.

I am interested in your sweaters.

B：毛衣在这边，请跟我走。

Máoyī zài zhèbiān, qǐng gēn wǒ zǒu.

The sweaters are over there. This way, please.

A：谢谢。我已经参观过了。

Xièxie. Wǒ yǐjing cānguān guo le.

Thank you. I have seen them.

B：在这届博览会上，我们的毛衣很受欢迎。

Zài zhè jiè bólǎnhuì shang, wǒmen de máoyī hěn shòu huānyíng.

Our sweaters are very popular in this fair.

A：是的，你们的毛衣不但质量好，款式也很新颖。

Shìde, nǐmen de máoyī búdàn zhìliàng hǎo, kuǎnshì yě hěn xīnyǐng.

Yes, your sweaters are of high quality and innovative design.

B：那您是不是打算订购一批？

Nà nín shì bú shì dǎsuàn dìnggòu yì pī.

Do you intend to place an order?

A：如果订购，可以降低价格吗？

Rúguǒ dìnggòu, kěyǐ jiàngdī jiàgé ma?

Will you give me a discount if I make an order?

B：您打算订购多少？

Nín dǎsuàn dìnggòu duōshao?

How about your order?

A：对不起，我不能马上告诉您。

Duìbuqǐ, wǒ bùnéng mǎshàng gàosù nín.

Sorry, I cannot tell you right now.

B：您还要和您的老板讨论吧？

Nín hái yào hé nín de lǎobǎn tǎolùn ba?

You still have to discuss with your boss, don't you?

A：是的，您能不能告诉我，大约降低多少？

Shì de, nín néng bù néng gàosù wǒ, dàyuē jiàngdī duōshǎo?

Yes, could you tell me how much the price reduction can be?

B：如果您订购两千件，可以降低 10%。

Rúguǒ nín dìnggòu liǎng qiān jiàn, kěyǐ jiàngdī 10%.

The reduction will be 10 percent if your order is two thousand pieces.

A：我明白了，谢谢您，我明天再来。

Wǒ míngbai le, xièxie nín, wǒ míngtiān zài lái.

I understand. Thank you. I will come back tomorrow.

B：明天见！

Míngtiān jiàn!

See you tomorrow.

注 释
Annotation

1. 办　　*Bàn*

"办"是一个动词，它有很多用途。除了"办博览会"，"办啤酒节"外，也可以说：

"Bàn" is a verb. It can be used in many ways.

Examples:

办博览会：	hold the International Fair
办啤酒节：	to organize/ host the beer festival
办事	handle/do things
办签证	get a visa
办手续	go through procedures
办工厂	set up a factory

2. 对……感兴趣　　*Duì…gǎn xìngqù*

常用固定格式，否定式是"对……不感兴趣"。

It is a fixed phrase.　The negative form is *"duì…bù gǎn xìngqù"*.

Examples:

对流行音乐很感兴趣

be very interested in popular music

对广告一点儿也不感兴趣

not interested in advertise ments at all

练习
Exercises

1. 翻译：

Translation:

(1) 办舞会　　　办啤酒节　　　办交易会　　　办博览会

(2) 产品　　　　展品　　　　　参展　　　　　展览

(3) 定购　　　　交货　　　　　销售　　　　　降低

2. 词语搭配：

Match the words in the two groups:

款式　　　　　　博览会

参观　　　　　　很多

参加　　　　　　价格

种类　　　　　　毛衣

降低　　　　　　新颖

订购　　　　　　纺织品

3. 完成对话：

Complete the dialogues:

(1) A：_____

　　 B：我去参加博览会了。

　　 A：_____

　　 B：这届博览会办得很成功。

　　 A：_____

　　 B：有一百多个国家参加。

A：_____

B：参展的展品种类很多。

A：_____

B：是的，我订购了一大批商品。

(2) A：_____

B：我订购了一批衬衣。

A：_____

B：这批衬衣的面料很好看。

A：_____

B：质量也很不错。

A：_____

B：价格也合理。

A：_____

B：是的，我这次定货很成功。

4. 替换练习：

Substitution exercises:

(1) 我们生产的毛衣很受欢迎。

那个公司	电器
中国	地毯
上海	衬衫

(2) 最近我们要办一个啤酒节。

同学们	舞会
公司	交易会
我们	新公司

5. 用指定词语模仿造句：

Make sentences after the model with the following words:

Model:

A：你对音乐感兴趣吗？

B：我不喜欢唱歌,对音乐不感兴趣。

博览会的展品	做买卖
电视里的广告	看电视
健康日报	身体很健康
拍照片	经常旅游
投资房地产	老板

生 词

New Words

1. 届	jiè	（量）	session (of a congress/ fair)
2. 博览会	bólǎnhuì	（名）	international fair
3. 参展	cānzhǎn	（动）	exhibit

151

4. 展品	zhǎnpǐn	（名）	exhibit
5. 纺织品	fǎngzhīpǐn	（名）	textile
6. 种类	zhǒnglèi	（名）	kind
7. 产品	chǎnpǐn	（名）	product
8. 名片	míngpiàn	（名）	name card
9. 毛衣	máoyī	（名）	sweater
10. 对……感	duì…gǎn		be interested in
兴趣	xìngqù		
11. 受	shòu		*the verb to show* *passive tense*
受欢迎	shòu huānyíng		
12. 订购	dìnggòu	（动）	place an order
13. 批	pī	（量）	batch, lot
14. 展览	zhǎnlǎn	（名）	exhibition
15. 中心	zhōngxīn	（名）	center
16. 农业	nóngyè	（名）	agriculture
17. 老板	lǎobǎn	（名）	boss
18. 讨论	tǎolùn	（动）	discuss

请帮我看中文合同

Please help me review the Chinese contract

Sentence Patterns

141. 他的中文很好，谈话和看报纸都没什么问题。

Tā de Zhōngwén hěn hǎo, tán huà hé kàn bàozhǐ dōu méi shénme wèntí.

His Chinese is very good. He has no problem with conversation and newspaper reading.

142. 只要我能做的就一定帮忙。

Zhǐyào wǒ néng zuò de jiù yídìng bāng máng.

I will definitely help you if I can.

143. 请您参加签合同仪式。

Qǐng nín cānjiā qiān hétong yíshì.

Invite you to the contract-signing ceremony.

134. 我们和中国长城工业公司做了一批买卖。

Wǒmen hé Zhōngguó Chángchéng Gōngyè Gōngsī zuò le yìpī mǎimai.

We did some businesses with China Great Wall Industrial Company.

145. 这是中文合同书。请您仔细地看一下。

Zhè shì Zhōngwén hétongshū. Qǐng nín zǐxì de kàn yíxià.

This is the Chinese contract. Please read it carefully.

146. 请把这儿修改一下。

Qǐng bǎ zhèr xiūgǎi yíxià.

Please make some revisions here.

147. 我看一下儿记录。

Wǒ kàn yíxiàr jìlù.

Let me check the records.

148. 还有别的问题吗?

Hái yǒu biéde wèntí ma?

Any other problems?

149. 祝贺我们的合作圆满成功。

Zhùhè wǒmen de hézuò yuán mǎn chéng gōng.

Congratulations on our successful cooperation!

150. 希望以后继续合作。

Xīwàng yǐhòu jìxù hézuò.

Wish we would further our cooperation in the future.

课文
Text

(一)

A：马丁先生，听说您一直在学习汉语。

　　Mǎdīng xiānsheng, tīngshuō nín yìzhí zài xuéxí Hànyǔ.

　　Mr. Martin, I have heard you have been studying Chinese.

B：是，我学习汉语三年了。

　　Shì, Wǒ xuéxí Hànyǔ sān nián le.

　　Yes, I have been studying it for three years.

A：那您的汉语水平一定很不错。

　　Nà nín de Hànyǔ shuǐpíng yídìng hěn búcuò.

　　So your Chinese must be very good then.

B：还可以吧，谈话和看报纸都没什么问题。

　　Hái kěyǐ ba, tán huà hé kàn bàozhǐ dōu méi shénme wèntí.

　　It's just OK ... I have no problem with conversation and newspaper reading.

A：我想请您帮帮忙。

　　Wǒ xiǎng qǐng nín bāngbang máng.

　　I would like to ask for your help.

B：只要我能做的就一定帮忙。

　　Zhǐyào wǒ néng zuò de jiù yídìng bāng máng.

　　I will definitely help you if I can.

A：我想请您参加今天下午的签合同仪式。

　　Wǒ xiǎng qǐng nín cānjiā jīntiān xiàwǔ de qiān hétong yíshì.

I want to invite you to the contract-signing ceremony this afternoon.

B：你要和谁签合同？

Nǐ yào hé shéi qiān hétong?

With whom do you want to sign the contract?

A：和中国长城工业公司签合同。我们和他们做了一批买卖。

Hé Zhōngguó Chángchéng Gōngyè Gōngsī qiān hétong. Wǒmen hé tāmen zuò le yì pī mǎimai.

With China Great-Wall Industrial Company. We have done some businesses with them.

B：你要我做什么？

Nǐ yào wǒ zuò shénme?

What do you want me to do?

A：我请你帮助我看看中文合同，因为我的中文不够好。

Wǒ qǐng nǐ bāngzhù wǒ kànkan Zhōngwén hétong, yīnwéi wǒ de Zhōngwén bú gòu hǎo.

Please help me read the Chinese contract because my Chinese is not good enough.

B：我可以参加这个签合同仪式，不过我不懂贸易。

Wǒ kěyǐ cānjiā zhè gè qiān hétong yíshì, búguò wǒ bù dǒng màoyì.

I will participate in this contact-signing ceremony, but I do not know about business.

A：没关系，我们已经写好了英文合同，你可以先看看。

Méi guānxì, wǒmen yǐjing xiě hǎo le Yīngwén hétong, nǐ kěyǐ xiān kànkan.

It doesn't matter. We have prepared English contracts which you can read first.

(二)

A：大卫先生，这是我们的合同书，是中文的，请您再仔细地看一下儿。

Dàwèi xiānsheng, zhè shì wǒmen de hétongshū, shì Zhōngwén de, qǐng nín zài zǐxì de kàn yíxiàr.

Mr. David, this is our contract in Chinese. Please read it again carefully.

B：好，我请马丁先生帮助我看一下儿。

Hǎo, wǒ qǐng Mǎdīng xiānsheng bāngzhù wǒ kàn yíxiàr.

O.K. I will ask Mr. Martin to help me with it.

A：有什么问题吗？

Yǒu shénme wèntí ma?

Any problem?

B：一点儿小问题，关于交货问题，英文合同说分两批，中文合同说分三批。

Yìdiǎnr xiǎo wèntí, guānyú jiāo huò wèntí, Yīngwén hétong shuō fēn liǎng pī, Zhōngwén hétong shuō fēn sān pī.

A small problem. Regarding the delivery of goods, the

English contract says it will be done in two batches, and Chinese version says in three batches.

A：我看一下记录。对,应该分两批。我把这儿修改一下。

Wǒ kàn yíxià jìlù. Duì, yīnggāi fēn liǎngpī. Wǒ bǎ zhèr xiūgǎi yíxiàr.

Let me check the records. Yes, it should be in two atches. I will correct it.

B：谢谢!

Xièxie!

Thank you.

A：还有别的问题吗？

Hái yǒu biéde wèntí ma?

Any other problems?

B：很好,没有别的问题了。

Hěn hǎo, méiyǒu biéde wèntí le.

No, nothing else.

A：那请您在这儿签字吧！

Nà qǐng nín zài zhèr qiān zì ba!

Please sign here then.

B：好。祝贺我们的合作圆满成功。

Hǎo. Zhùhè wǒmen de hézuò yuánmǎn chénggōng.

O.K. Congratulations on our successful cooperation!

A：希望以后继续合作。

Xīwàng yǐhòu jìxù hézuò.

Wish we would further our cooperation in the future.

注 释
Annotation

1. 没什么问题   *Méi shénme wènti*

意思是"没任何问题","什么"在这里是虚指。

It means there is not any problem. "*shénme*" does not have specific reference here.

2. 只要   *zhǐyào*

"只要"表示必要条件,常和"就"一起用。

"*Zhǐyào*" indicates a prerequisite condition, often used together with "*jiù*".

Examples:

只要天气好,我就去。

I will go only if the weather is nice.

只要努力,你就会学好汉语。

You will study Chinese well only if you work hard.

3. 我的中文还不够好   *Wǒ de zhōngwén hái bú gòu hǎo*

"不够"常常用在形容词前,表示没有达到希望的程度,所有形容词都是褒义形容词。

"*Bú gòu*" is often used before adjectives to express the degree is not as expected.   The adjectives should have positive impli cations.

Examples:

不够漂亮	not beautiful enough
不够努力	not hard-working enough
不够新颖	not novel enough

4. 仔细地看一下   *Zǐxì de kàn yíxiàr*

如果动词前有修饰成分。在修饰成分和动词之间常常用助词"地"。

If there are modifiers before a verb, the particle "*de*" could be inserted between them.

Examples:

顺利地到达了	to arrive there smoothly
圆满地结束了	to complete successfully

练习

Exercises

1. 替换练习:

Substitution exercises:

(1) 只要天气好,我就去游泳。

价格合理	定货
少抽烟	咳嗽
多锻炼	健康
买到飞机票	旅行
努力	学好汉语
我能做的	一定帮忙

(2) 他学习还不够努力。

声音	清晰
款式	新颖
那儿的风景	漂亮
服务	热情
电视节目	活泼

2. 用指定词语完成句子:

Complete the following sentences with the given words:

(1) 明天只要我没事儿 ＿＿＿＿＿＿＿＿＿ 。(就)

(2) ＿＿＿＿＿＿＿＿＿ ,你的咳嗽就会很快好。(只要)

(3) 我的中文不够好,请你_____。(把合同书)

(4) 合同书写得不够好,我 _____。(修改)

(5) 他的中文很好,_____。(谈话)

(6) 我可以参加签合同仪式,不过_____。(贸易)

(7) 如果没有问题的话,请_____。(签字)

3. 把下列句子按顺序排列:

Put the following sentences in right order:

(1) 他的中文很好,谈话和看报纸都没有问题。

(2) 马丁有一个朋友在一家美国贸易公司工作。

(3) 马丁已经学了三年中文了。

(4) 马丁说,他可以帮忙,可是他不懂贸易。

(5) 他的朋友请他帮忙,看中文合同,参加签合同仪式。

(6) 他的朋友非常高兴。

(7) 马丁同意了朋友的要求,决定帮他的忙。

(8) 朋友说,没关系,因为已经写好了英文合同,马丁可以
先看看。

New Words

1. 合同	hétong	(名)	contract
2. 谈话	tánhuà	(动)	conversation
3. 只要……	zhǐyào…		only if, as
就	jiù		long as
4. 签	qiān	(动)	sign

162

	签合同	qiānhétong		sign a contract
5.	仪式	yíshì	（名）	ceremony
6.	仔细	zǐxì	（形）	careful
7.	修改	xiūgǎi	（动）	revise
8.	记录	jìlù	（名）	record, note
9.	签字	qiānzì	（动）	sign (the name)
10.	祝贺	zhùhè	（动）	congratulate
11.	圆满	yuánmǎn	（形）	perfect, successful
12.	交货	jiāohuò	（动）	delivery of goods
13.	分	fēn	（动）	in (batches, times)

生 词 表
Shéng Cí Biǎo

A

安排	ānpái	arrange	7

B

巴黎	Bālí	Paris	5
把	bǎ	*a preposition showing disposal*	6
白天	báitiān	daytime	5
百	bǎi	hundred	6
百分之	bǎifēnzhī	percent	12
办	bàn	to organize	3
北方	běifāng	the North	9
比赛	bǐsài	contest	13
毕业	bìyè	graduate	2
便宜	piányi	cheap	12
变化	biànhuà	change	5
博览会	bólǎnhuì	international fair	14
不必	búbì	no necessity	11
不但	búdàn	not only	11

D

E

| 而且 | érqiě | but also | 11 |

F

发烧	fāshāo	fever	10
发展	fāzhǎn	develop, development	2
方面	fāngmiàn	area, aspect	2
房地产	fángdìchǎn	real estate	6
纺织品	fǎng zhī pǐn	textile	14
飞	fēi	fly	5
飞机	fēijī	airplane	5
分	fēn	in (batches, times)	15
份	fèn	*measure word*	4
服务	fúwù	serve; service	6
服装	fúzhuāng	garment	1
附近	fù jìn	neighborhood	7

G

盖	gài	build	6
干杯	gānbēi	toast cheers	11
赶快	gǎnkuài	hurry	12
感冒	gǎnmào	flu	10

刚	gāng	just	4
高级	gāojí	luxury	6
歌曲	gēqǔ	song	13
歌星	gēxīng	singing star	13
跟…… 差不多	gēn… chàbuduō	almost the same as...	12
工业	gōngyè	industry	1
公司	gōngsī	company	1
功能	gōngnéng	function	8
古典	gǔdiǎn	classical	13
拐	guǎi	turn (left or right)	3
关系	guānxi	relation	1
广告	guǎnggào	advertisement	13
广州	Guǎngzhōu	Guangzhou	9
桂林	Guìlín	Guilin	3
国产	guóchǎn	homemade	8
国际	guójì	international	2

H

海边	hǎibiān	seaside	9
海关	hǎiguān	customs	5
寒假	hánjià	winter vacation	9
航班	hángbān	flight	5
好久	hǎojiǔ	long time	3
好像	hǎoxiàng	seem	12

号码	hàomǎ	number	8
合理	hélǐ	reasonable	8
合适	héshì	suitable, appropriate	7
合同	hétong	contract	15
合资	hézī	joint venture	2
合作	hézuò	cooperation	1
和……比	hé…bǐ	compared with	8
护照	hùzhào	passport	5
回	huí	return	4
回来	huílai	return	
会议	huìyì	meeting, conference	11
活泼	huópo	live, lively	13

J

机会	jīhuì	chance, opportunity	7
计划	jìhuà	plan	7
记得	jìde	remember	5
记录	jìlù	record, note	15
继续	jìxù	continue	11
价格	jiàgé	price	1
价钱	jiàqián	price	8
检查	jiǎnchá	examine, examination	5
见	jiàn	see, meet	3
建议	jiànyì	suggest, suggestion	8
健康日报	Jiànkāngrìbào	*Health Daily*	10

降低	jiàngdī	reduce	12
交货	jiāohuò	delivery of goods	15
交谈	jiāotán	conversation	7
交易会	jiāoyìhuì	trade fair	1
节	jié	festival	3
节目	jiémù	program	13
节省	jiéshěng	save	12
结束	jiésù	to end, to finish	3
届	jiè	session (of a congress/ fair)	14
进步	jìnbù	progress, improvement	2
进口	jìnkǒu	import	1
经济	jīngjì	economy	2
经理	jīnglǐ	manager	1
劲儿	jìngr	energy	10
酒	jiǔ	alcohol	7
葡萄酒	pútáojiǔ	wine	
白酒	báijiǔ	liquor, spirits	
酒店	jiǔdiàn	hotel	6
酒量	jiǔliàng	capacity for alcohol	11
决定	juédìng	decide	4
觉得	juéde	feel	9

K

卡	kǎ	card	7
生日卡	shēngrikǎ	birthday card	
开	kāi	open	7
开放	kāifàng	open	13
开花	kāihuā	(flower) bloom	9
看病	kàn bìng	see a doctor	10
考	kǎo	examine	2
考试	kǎoshì	examination	
咳嗽	késou	cough	10
可靠	kěkào	reliable	4
快乐	kuàilè	happy	7
款	kuǎn	design	8
款式	kuǎnshì	design pattern	
矿泉水	kuàngquánshuǐ	mineral water	11
昆明	Kūnmíng	Kunming	9
昆仑饭店	Kūnlún fàndiàn	Kunlun Hotel	6

L

辣	là	spicy, hot (taste)	11
老板	lǎobǎn	boss	14
漓江	Líjiāng	Lijiang Lake	3
礼物	lǐwù	present, gift	7
厉害	lìhai	serious	10

零钱	língqián	small change	6
流行	liúxíng	popular	13
流行性	liúxíngxìng	epidemic	10
留	liú	leave behind	6
留学	liúxué	study abroad	4

M

嘛	ma	a particle used to help with the sentence mood	9
买卖	mǎimai	*(colloquial)* business	1
满意	mǎnyì	be satisfied with, satisfactory	12
毛衣	máoyī	sweater	14
茅台酒	máotái jiǔ	Maotai wine	11
贸易	màoyi	trade	1
面料	miànliào	(dress) material	12
名片	míngpiàn	name card	14

N

内容	nèiróng	content	13
南方	nánfāng	the South	3
能够	nénggòu	can, be able to	11
农业	nóngyè	agriculture	14
暖和	nuǎnhuo	warm	9

| 暖气 | nuǎnqì | heating | 9 |

P

爬	pá	climb	3
拍	pāi	take (a picture)	3
牌子	páizi	brand	8
批	pī	batch, lot	14
批评	pīpíng	criticize	13
啤酒	píjiǔ	beer	3
啤酒节	píjiǔjié	beer festival	3
品种	pǐnzhǒng	type, kind	8

Q

奇特	qítè	fantastic, unusual	3
企业	qǐyè	venture, company	2
起	qǐ	get up	4
起飞	qǐfēi	take off	5
气候	qìhòu	climate	9
气温	qìwēn	temperature	9
千	qiān	thousand	6
签	qiān	sign	15
签合同	qiān hétong	sign a contract	
签证	qiānzhèng	visa	5

签字	qiānzì	sign (the name)	15
清	qīng	clear	3
清晰	qīngxī	clear	8
全	quán	whole, complete	10

R

让	ràng	let	10
热门	rèmén	hot	6
热情	rèqíng	warm-hearted	7
容易	róngyì	easy, be liable to	10
入席	rùxí	take one's seat	11

S

晒	shài	expose something in the sunshine	9
山	shān	mountain, hill	3
商量	shāng liáng	discuss, negotiate	12
商品	shāngpǐn	commodity, goods	1
商业	shāngyè	business, commerce	2
上次	shàngcì	last time	5
上旬	shàngxún	the first 10 days of a month	4
申请	shēngqǐng	apply; application	4
身	shēn	body	10

生活	shēnhuó	live	6
湿	shī	wet, damp, humid	9
十分	shífēn	quite, very	11
收发	shōufā	receive and send	8
手机	shǒujī	mobile phone	8
受欢迎	shòuhuānyíng	popular	
树叶	shùyè	leaf	3
睡觉	shuìjiào	go to bed, sleep	4
顺利	shùnlì	successful	1
顺着	shùnzhe	(go) along	3
说法	shuōfa	statement	10
丝绸	sīchóu	silk	12
四川	Sìchuān	Sichuan	11
四季	sìjì	four seasons	1
四季如春	sìjìrúchūn	like spring all the year round	9
虽然	suīrán	though	9
随便	suíbiàn	as you like	7

T

谈话	tánhuà	conversation	15
讨论	tǎolùn	discuss	14
特别	tèbié	special	12
体育	tǐyù	sports	13
添	tiān	add	11

听说	tīngshuō	to hear about	3
停止	tíngzhǐ	stop, give up	10
挺……的	tǐng…de	*(pretty)+adj. (colloquial)*	8
头疼	tóuténg	headache	10
投资	tóuzī	invest	6
退	tuì	check out, return	6

W

外商	wàishāng	foreign investors	6
外语	wànyǔ	foreign language	2
玩具	wánjù	toy	1
晚会	wǎnhuì	party	7
为	wèi	for	11
味道	wèidào	taste	11
舞会	wǔhuì	dance party	7

X

下次	xiàcì	next time	6
下旬	xiàxún	the last 10 days of a month	4
夏天	xiàtiān	summer	9
香港	Xiānggǎng	Hong Kong	4
香山	Xiāngshān	Xiangshan Mountain	3

享受	xiǎngshòu	enjoy, enjoyment	9
向	xiàng	to	1
项目	xiàngmù	project	6
消息	xiāoxi	information, news	4
写	xiě	write	4
辛苦	xīnkǔ	hard, tough	2
新颖	xīnyǐng	novel, innovative	8
信息	xìnxī	information	13
行	xíng	ok	12
行李	xíngli	luggage	5
修改	xiūgǎi	revise	15
形式	xíngshì	form	13
雪	xuě	snow, snowfall	9

Y

宴会	yànhuì	banquet	
样品	yàngpǐn	sample	1
要紧	yàojǐn	serious	10
夜里	yèli	night	4
一点儿	yìdiǎnr	a little	12
一共	yígòng	in total	6
一切	yíqiè	all, everything	1
一样	yíyàng	similar	5
仪式	yíshì	ceremony	15
以后	yǐhòu	later, then	1

只有……才	zhǐyǒu…cái	only if...	13
质量	zhìliàng	quality	1
中心	zhōngxīn	center	14
中旬	zhōngxún	the second 10 days of a month	4
中央电视台	Zhōngyāng diànshìtái	CCTV	13
种类	zhǒnglèi	kind	14
重要	zhòngyào	important	2
周末	zhōumò	weekend	7
祝	zhù	wish	1
祝贺	zhùhè	congratulate	15
专业	zhuānyè	major, specialty	2
转播	zhuǎnbō	televise	13
准备	zhǔnbèi	prepare	2
着急	zháojí	hurry	5
仔细	zǐxì	careful	15
自由	zìyóu	free	7
最近	zuìjìn	recently	2

多音字
Duō Yīn Zì

B

背	bēi	背书包	bēi shū bāo	to carry a school bag
	bèi	后背	hòubèi	back
		背景	bèijǐng	back ground
便	biàn	方便	fāngbiàn	convenient
	pián	便宜	piányi	cheap, inexpensive

C

参	cān	参加	cānjiā	to join, participate
	shēn	人参	rénshēn	Ginseng
长	cháng	长短	chángduǎn	length
	zhǎng	长大	zhǎngdà	grow
		生长	shēngzhǎng	
处	chǔ	处理	chǔlǐ	to dispose, handle
	chù	到处	dàochù	everywhere

传	chuán	传统	chuántǒng	tradition
		传真	chuánzhēn	fax
	zhuàn	传记	zhuànjì	biography
		自转	zìzhuàn	autobiography

D

| 大 | dà | 大小 | dàxiǎo | size |
| | dài | 大夫 | dàifu | doctor |

打	dá	一打信封	yì dá xìnfēng	a dozen of envelops
	dǎ	打电话	dàifu	to make a call
		打篮球	dǎ lánqiú	to play basketball

当	dāng	当然	dāngrán	of course, naturally
		应当	yīngdāng	should
	dàng	当天	dàngtiān	the same day

倒	dǎo	倒车	dǎo chē	to change/transfer vehicles
		摔倒	shuāidǎo	to fall off
	dào	倒茶	dào chá	to serve a cup of tea
		倒车	dào chē	to back a car

| 的 | de | 我的书 | wǒ de shū | my book |
| | dí | 的确 | díquè | indeed, really |

		目确	mù dì	purpose
得	de	好得很	hǎo de hěn	very good
	dé	得病	débìng	to fall ill, catch illness
		得几分	dé jǐ fēn	How many scores have you got?
	děi	得去医院	děi qù yīyuàn	to have to go to the hospital
		得走了	děi zǒu le	to have to leave
地	de	慢慢地说	mànmàn de shuō	to speak slowly
	dì	地方	dìfāng	place
		大地	dàdì	ground, earth
调	diào	调查	diàochá	to investigate
		声调	shēngdiào	into nation
	tiáo	调和	tiáohé	to arbitrate, mediate
		调节	tiáojié	to adjust
都	dōu	都很好	dōu hěn hǎo	all is well
	dū	都市	dūshì	city, municipality
		首都	shǒudū	capital

F

| 分 | fēn | 分别 | fēnbié | respectively, separately |
| | fèn | 分量 | fènliàng | weight, significance |

G

干	gān	干净	gānjìng	clean
		饼干	bǐnggān	biscuit
	gàn	干什么	gàn shénme?	what do you do?
		干部	gànbù	cadre, official

| 更 | gēng | 更新 | gēngxīn | to renew |
| | gèng | 更加 | gèngjiā | even (*comparative indicator before verbs and adjectives*) |

H

| 还 | hái | 还是 | háishì | still |
| | huán | 还书 | huán shū | return a book |

| 好 | hǎo | 好坏 | hǎohuài | good(vs. bad) |
| | hào | 爱好 | àihào | hobby |

和	hé	你和我	nǐ hé wǒ	you and me
		和平	hépíng	peace
	huó	暖和	nuǎnhuo	warm
会	huì	开会	kāihuì	call / hold a meeting
		会不会	huì bú huì	will be or will not be
	kuài	会计	kuàijì	accounting

J

假	jiǎ	真假	zhēnjiǎ	true or false
		假如	jiǎrú	if...; supposing...
	jià	假日	jiàrì	holiday
		放假	fàngjià	to grant a holiday
间	jiān	房间	fángjiān	room
		时间	shíjiān	time
	jiàn	间断	jiànduàn	break
教	jiāo	教书	jiāoshū	to teach
	jiào	教授	jiàoshòu	professor
		宗教	zōngjiào	religion
结	jiē	结实	jiēshi	strong, stout
		开花结果	kāi huā jiē guǒ	to bloom and produce fruits

	jié	结婚	jiéhūn	to marry
		结束	jiéshù	to end, finish
		结果	jiéguǒ	result
		结合	jiéhé	to combine
觉	jué	觉得	juéde	to feel, think
	jiào	睡觉	shuìjiào	to sleep

K

看	kān	看家	kān jiā	house keeping
	kàn	看书	kàn shū	reading
		看病	kàn bìng	to see a doctor
空	kōng	天空	tiānkōng	sky
	kòng	有空儿	yǒu kòngr	to have some time

L

了	le	来了	láile	to have come
	liǎo	了解	liǎojiě	to know
		了不起	liǎo bù qǐ	great, excellent
量	liáng	量体温	liáng tǐwēn	to take one's temperature
	liàng	数量	shùliàng	quantity, amount

M

没	méi	没有	méiyǒu	not, not to have
	mò	没收	mòshōu	to confiscate

N

难	nán	困难	kùnnán	difficult, difficulty
	nàn	难民	nànmín	refugee

Q

强	qiáng	强弱	qiángruò	strong (*vs. weak*) strength
	qiǎng	勉强	miǎnqiǎng	reluctant
切	qiē	切开	qiēkāi	to cut a part
	qiè	亲切	qīnqiè	amicable

S

散	sǎn	散文	sǎnwén	essay
	sàn	散步	sànbù	to take a walk
少	shǎo	多少	duōshǎo	how many, some what
	shào	老少	lǎoshào	the old and the young
数	shǔ	数人数	shǔ rén shù	count the heads
	shù	数学	shùxué	mathematics
		数量	shùliàng	quantity, amount

W

为	wéi	认为	rènwéi	to think, view
	wèi	为了	wèile	for

X

相	xiāng	互相	hùxiāng	mutual, each other
		相反	xiāngfǎn	on the contrary
	xiàng	相片	xiàngpiān	photo
		真相	zhēnxiàng	truth

校	xiào	学校	xuéxiào	school
	jiào	校对	jiàoduì	to proofread
血	xiě	流血	liú xiě	to bleed
	xuè	血型	xuèxíng	blood type
		血压	xuèyā	blood pressure
行	xíng	行动	xíngdòng	operation
		进行	jìnxíng	to operate, carry out
	háng	银行	yínháng	bank
		第一行	dì yī háng	the first line

Y

要	yāo	要求	yāoqiú	to require, requirement
	yào	重要	zhòngyào	important
		需要	xūyào	need
		要是	yàoshì	if
		要紧	yàojǐn	to matter
应	yīng	应该	yīnggāi	should
	yìng	反应	fǎnyìng	reaction
乐	yuè	音乐	yīnyuè	music
		乐器	yuèqì	music instrument
	lè	快乐	kuàilè	happy, pleasant

Z

着	zhe	坐着	zuòzhe	sitting
	zháo	睡着了	shuì zháo le	asleep
	zhuó	着想	zhuóxiǎng	to be considerate
中	zhōng	中心	zhōngxīn	center
		心中	xīnzhōng	in the heart
	zhòng	中意	zhòngyì	satisfied
		看中了	kàn zhòng le	to arrest one's eye, to be in one's favor
重	zhòng	重量	zhòngliàng	weight
		重视	zhòngshì	to value
	chóng	重复	chóngfù	to repeat
		重新	chóngxīn	once again
种	zhǒng	品种	pǐnzhǒng	breed, variety
		种子	zhǒngzi	seed
	zhòng	种树	zhòngshù	to plant a tree

附录二

古诗三首
Gǔ Shī Sān Shǒu

唐　　代 (Tang Dynasty)
Táng　Dài

杜　　牧　(803~852)
Dù　　Mù

清　明
qīng　míng

清	明	时	节	雨	纷	纷,
qīng	míng	shí	jié	yǔ	fēn	fēn
路	上	行	人	欲	断	魂。
lù	shàng	xíng	rén	yù	duàn	hún
借	问	酒	家	何	处	有,
jiè	wèn	jiǔ	jiā	hé	chù	yǒu
牧	童	遥	指	杏	花	村。
mù	tóng	yáo	zhǐ	xìng	huā	cūn

THE DAY OF MOURNING FOR THE DEAD①

The day of mourning for the dead it's raining hard;

My heart is broken on my way to the graveyard.

Where can I find a wineshop to drown my sad hours?

A herdboy points to a cot amid apricot flowers.

① The 4th or 5th day of the 4th lunar month, when Chinese people mourn their ancestral burial mounds.

唐　代　(Tang Dynasty)
Táng　Dài

李　白　(701~762)
Lǐ　Bái

望　庐　山　瀑　布
wàng　lú　shān　pù　bù

日	照	香	炉	生	紫	烟，
rì	zhào	xiāng	lú	shēng	zǐ	yān
遥	看	瀑	布	挂	前	川。
yáo	kàn	pù	bù	guà	qián	chuān
飞	流	直	下	三	千	尺，
fēi	liú	zhí	xià	sān	qiān	chǐ
疑	是	银	河	落	九	天。
yí	shì	yín	hé	luò	jiǔ	tiān

CATARACT ON MOUNT LU

The sunlit Censer peak exhales a wreath of cloud;
Like an upended stream the cataract sounds loud.
It's torrent dashes down three thousand feet from high,
As if the Silver River① fell from azure sky.

---

①　The Chinese name for the Milky Way.

宋　代 (Song Dynasty)
Sòng Dài
苏　轼　　(1007~1072)
Sū Shì

题　西　林　壁
tí　xī　lín　bì

横	看	成	岭	侧	成	峰，
héng	kàn	chéng	lǐng	cè	chéng	fēng
远	近	高	低	各	不	同。
yuǎn	jìn	gāo	dī	gè	bù	tóng
不	识	庐	山	真	面	目，
bù	shí	lú	shān	zhēn	miàn	mù
只	缘	身	在	此	山	中。
zhǐ	yuán	shēn	zài	cǐ	shān	zhōng

WRITTEN ON THE WALL OF
WEST FOREST TEMPLE①

It's a range viewed in face and peaks viewed from the side,
Assuming different shapes viewed from far and wide.
Of Mountain Lu we cannot make out the true face,
For we are lost in the heart of the very place.

_____

① West Forest Temple was in the Lu Mountains, Jiangxi Province.